TRANSFORME SEUS SONHOS EM VIDA

CONSTRUA O FUTURO QUE VOCÊ MERECE

CARO LEITOR,
Queremos saber sua opinião sobre nossos livros.
Após a leitura, curta-nos no facebook/editoragentebr,
siga-nos no Twitter @EditoraGente e visite-nos no site
www.editoragente.com.br.
Cadastre-se e contribua com sugestões, críticas ou elogios.
Boa leitura!

Eduardo Shinyashiki

TRANSFORME SEUS SONHOS EM VIDA

CONSTRUA O FUTURO QUE VOCÊ MERECE

Gerente Editorial
Alessandra J. Gelman Ruiz

Editora de Produção Editorial
Rosângela de Araujo Pinheiro Barbosa

Controle de Produção
Elaine Cristina Ferreira de Lima

Projeto Gráfico e Diagramação
Sandra Oliveira

Revisão
Malvina Tomáz

Imagens de Miolo
Shutterstock

Capa
Miriam Lerner

Imagem de Capa
Philip e Karen Smith/Getty Images

Impressão
Gráfica AR Fernandez

Copyright © 2012 by Eduardo Shinyashiki
Todos os direitos desta edição são reservados à Editora Gente.
Rua Original, 141/143 – São Paulo, SP
CEP 05435-050
Telefone: (11) 3670-2500
Site: http://www.editoragente.com.br
E-mail: gente@editoragente.com.br

Dados Internacionais de Catalogação na Publicação (CIP)
(Câmara Brasileira do Livro, SP, Brasil)

Shinyashiki, Eduardo
Transforme seus sonhos em vida: construa o futuro que você merece / Eduardo Shinyashiki. — São Paulo : Editora Gente, 2012.

Bibliografia.
ISBN 978-85-7312-796-6

1. Atitude (Psicologia) 2. Atitude - Mudança 3. Autorrealização (Psicologia) 4. Felicidade 5. Mudança (Psicologia) 6. Realização pessoal 7. Reflexão 8. Sonhos I. Título.

12- 09013   CDD-158

Índice para catálogo sistemático:
1. Sonhos : Realização : Psicologia aplicada   158

Dedicatória

A todos os que buscam a própria unicidade,
trilhando o caminho da coragem e da verdade
para concretizar seus sonhos.

Prefácio

É com grande prazer que acompanho o nascimento deste novo livro de Eduardo Shinyashiki.

Conheço Eduardo há 20 anos, ele foi para mim um grande mestre de vida, que inspirou minha busca no caminho profissional e pessoal. Com o passar dos anos, nossa parceria se fortaleceu, transformando-se em uma profunda e sincera amizade.

Em uma época em que o cognitivismo dominava a Europa, Eduardo me abriu novos horizontes, de integração profunda entre o "sentir" e a "capacidade de decisão". A importância do conceito de integração entre corpo e mente, do qual Eduardo falava já muitos anos atrás e que também encontramos neste livro, como capacidade de compreender profundamente os nossos sonhos e de utilizar todos os nossos recursos para realizá-los, é hoje finalmente reconhecida pela literatura científica internacional.

Este livro nos mostra que é possível viver a integração corpo-mente, equilibrar amor e razão, emoção e planejamento da própria vida, para ter foco nos sonhos e atitudes para realizá-los.

Annalisa Risoli
Médica fisiatra, especialista em reabilitação neurológica e neuropsicológica
Milão, Itália

Conheci Eduardo dez anos depois de minha esposa Annalisa, em uma viagem ao Brasil.

Fomos convidados, recebidos e acolhidos afetuosamente por ele e sua família.

No mesmo dia em que chegamos fomos para um churrasco e passamos uma maravilhosa noite conversando até tarde.

Às quatro da manhã, acordei e percebi que Eduardo estava em seu escritório preparando uma apresentação para uma palestra que aconteceria pela manhã.

Fiquei pensando: "Ele nos buscou no aeroporto, ficou com a gente a noite inteira e dedicou seu tempo, nos colocando no centro de sua atenção". Que exemplo de dedicação e hospitalidade!

Hoje somos muito amigos, nos encontramos sempre no Brasil e na Itália, mas nunca esquecerei a lição daquele primeiro encontro.

Esse é para mim Eduardo Shinyashiki, uma pessoa dedicada e comprometida em cada momento da sua vida, seja na amizade, seja na vida profissional. Uma pessoa que age com coração e inteligência, como se percebe em seus livros e em suas palestras.

O profundo conteúdo deste livro fala a cada um de nós em um diálogo único e direto e faz com que a gente se sinta em conexão com Eduardo, um mestre de vida, aberto e amoroso.

Mario Rebecchi
Chief Information and Telecommunication
Officer em empresas italianas e empresário
Milão, Itália

Sumário

O quase 11
   Projeto e realidade 15
   Meio de vida e meio de morte 19
   Preferência e necessidade.. 25
   Qualidade de vida e vida com qualidade................... 28
   Construa um novo futuro.. 30

As raízes que impedem de voar 33
   Os filtros que usamos para viver 37
   O analfabetismo funcional sensorial 42
   O medo do fracasso 46

Expanda seu poder pessoal 53
   Aproveite as oportunidades para viver hoje.............. 56
   Crie a mudança em você 59

Ouça a voz interior 65
   Escute o que o silêncio tem a dizer........................... 68

Reconheça seus sonhos e objetivos 71
   Estabeleça uma visão e uma missão.......................... 76

Tenha foco, atenção e concentração............... **81**
   Conscientize-se do que acontece com você............ 86
   Para as coisas se realizarem, foque.......................... 89

Exercite sua mente... **95**
   É possível modificar nosso cérebro......................... 98
   Pense diferente.. 100

Transforme sua visão em ação......................... **103**
   Enfrente seus medos... 106

Comprometa-se com a mudança....................... **109**
   Seja o protagonista.. 113

Redecida... **115**
   Os estágios emocionais... 118

Viva em plenitude... **129**
   Nunca desista... 132
   Coloque significado em sua vida............................. 133

Referências bibliográficas................................ **137**

O quase

Você já sentiu alguma vez a sensação de "quase"?

Quase conseguiu um emprego...
Quase fechou um negócio...
Quase passou no vestibular...
Quase terminou a faculdade...
Quase conseguiu emagrecer...
Quase o casamento deu certo...
Quase achou sua alma gêmea...
Quase conseguiu uma promoção...
Quase realizou um sonho...

Parece que muitas vezes as pessoas vivem sempre "o quase". Elas quase alcançam as coisas, e vivem frustradas porque não realizam o que desejam. Sua vida é quase...

A sensação é a de que falta sorte, que alguma coisa está fazendo a vida não dar certo e, por isso, as pessoas ficam com

- a impressão de que fracassaram ou deram azar ou, talvez,
- "Deus não quis assim".

O dia a dia é uma correria sem fim: acordar, levantar, tomar banho, trabalhar, resolver problemas, comer, trabalhar, resolver mais problemas, voltar para casa, comer e dormir... Na manhã seguinte, iniciamos tudo novamente.

Ficamos tão envolvidos com os meios de viver – ou melhor, de sobreviver – que nos esquecemos do fim. Não do fim da vida, mas da finalidade dela. Para que tudo isso?

Queremos ganhar dinheiro, ter sucesso, reconhecimento, ter coisas, ter poder, mas para que mesmo? Tudo isso para chegar aonde?

O que, afinal, queremos com isso tudo?

Sem tempo para colocar atenção no que realmente estamos fazendo, sentindo e querendo, e sem tempo para questionar e refletir, é como se agíssemos no "automático". Viramos prisioneiros dos problemas do cotidiano, reféns das eventualidades, como se estivéssemos nos debatendo no meio do mar, depois que uma onda nos derrubou. Falta-nos o ar para respirar...

Isso tudo traz um cansaço, um desânimo, e parece que ficamos incapazes de evitar essa situação. Aquele brilho nos olhos de antigamente fica apagado e o prazer de viver quase desaparece.

Sem dar atenção aos nossos sonhos, deixamos que as interferências da vida tomem conta de nós e nem notamos que estamos embarcando em um trem que não vai parar na estação que desejamos. Uma vez dentro desse trem, sequer abrimos a janela para olhar a paisagem. Se, por alguns instantes, olhássemos para fora, perceberíamos que o percurso não é familiar ao destino. Queremos ir para a praia, mas o trem nos leva morro acima.

Sem percebermos, os anos se passam, o tempo escorre pelos vãos dos dedos e, quando nos damos conta, vemos que nossa vida está bem diferente do que havíamos imaginado para ela quando éramos bem novos e sonhávamos alto.

A vida segue e acabamos não fazendo o que nos dá prazer. Isso nos deixa exauridos. Não é incomum as pessoas permanecerem assim até o último dia de vida. Então, pensam: "Se eu pudesse, se ainda desse tempo, eu faria diferente! Mas a vida me conduziu, e não o contrário".

Em que momento deixamos de lado nossos sonhos e ideais para vivenciar uma rotina cheia de pressões, dificuldades e preocupações?

Quando será que abandonamos nosso projeto de vida, aquele que está intimamente relacionado à nossa essência, à nossa missão, ao que realmente nos faz sentir vivos, estimulados e importantes?

Projeto e realidade

Em vez de viver a vida, somos envolvidos passivamente pelos acontecimentos dela. Assim, não estamos na plenitude da existência, mas em uma ladainha monótona, repetitiva,

- superficial, cansativa, que se resume apenas a uma soma de compromissos, em um ritmo frenético, que não nos deixa felizes.

Viramos, sem perceber, "tarefeiros" que se afogam nas obrigações cotidianas. Estamos apenas com o "piloto automático" ligado. As pessoas trabalham, lutam, consomem-se e dizem: "Eu faço isso para ter uma vida melhor, para ficar milionário ou bilionário".

Então eu pergunto: será que você analisou bem? Ficar milionário para quê? Será que é isso realmente o que está em sua essência, o que o faz feliz?

Existe uma história muito singela sobre isso.

Um empresário muito estressado saiu de férias e foi descansar de sua correria em uma praia paradisíaca. Quando estava na areia, sob o sol, parado, refestelado sob seu guarda-sol, avistou ao longe um humilde pescador, entrando no mar com sua canoa. Depois de 30 minutos, o pescador voltou com três peixes.

Nos dias seguintes, ele presenciou a mesma cena, o que o deixou intrigado. Por que ele traz só três peixes por vez? Resolveu ir falar com o pescador: "Eu estava observando o senhor e vi que pesca todos os dias. Mas por que entra no mar e só traz três peixes?".

"Ué, eu trago um para mim, outro para meu filho e outro para minha esposa, e esse é o nosso jantar.

Entro no mar duas vezes por dia, uma para pescar o almoço e outra para pescar o jantar."
"E por que o senhor não fica mais tempo no mar e pega muito mais peixes?" E o pescador respondeu: "E para quê?" "Assim poderá vendê-los para seus vizinhos e ganhar bastante dinheiro."
"Para quê?" "Bem, com o tempo, com todo o dinheiro ganho, o senhor poderá comprar um barco maior e vender muito mais peixes."
E o pescador repetiu: "Para quê?".
"Com o dinheiro, o senhor poderá comprar outro barco e contratar outros pescadores. Em pouco tempo, conseguirá abrir uma cooperativa e vender seus peixes não somente em seu bairro, mas também nos bairros vizinhos!"
"E para quê?"
"Com a cooperativa, em pouco tempo o senhor será maior distribuidor de peixes da região."
"Para quê?"
A essa altura, o empresário já estava ficando irritado com tamanha falta de ambição daquele humilde pescador.
"Como para quê? Se fizer isso que eu falei, em poucos anos o senhor pode vir a ser o maior distribuidor de peixes do país, podendo até exportar. Ganhará muito dinheiro, poderá comprar casas, carros, será importante, as pes-

- soas vão admirá-lo, o senhor terá poder sobre elas."
- "Para quê?"

"Como para quê? Para que quando o senhor chegar à minha idade possa descansar em uma praia como essa e pescar quantos peixes quiser, sem nenhuma preocupação."

E o pescador olhou o empresário e disse: "Mas é exatamente isso o que eu já faço hoje!".

Para quê? Para que você faz tudo o que faz na vida, à custa muitas vezes de sofrimento, estresse, angústia?

Será que tudo o que você procura já não está no início de sua caminhada? Talvez você não precise andar mil quilômetros para a frente, para depois voltar mais mil quilômetros e perceber que sua busca termina no ponto de partida, pois era lá que estava seu tesouro tão procurado. E o ponto de partida é sempre um só: você.

Há pessoas que precisam sofrer um bocado para entender o que significa ser feliz.

Há aquelas que primeiro precisam perder um amor para perceber que o que viviam já era amor.

Outras precisam perder a saúde para se dar conta de como era importante viver saudavelmente.

Essa é a relação entre projeto e realidade. A pessoa idealiza uma situação e não percebe sua realidade palpável. Ela vira seus olhos para o virtual e não enxerga o que é real.

Há pessoas que não vislumbram a felicidade para si mesmas porque estão fazendo as coisas. Vão como loucas atrás de faculdade, emprego, concurso, namoro, casamento, aposentadoria, filhos, netos etc. e ficam, no dia a dia, tão enfiadas na correria que não percebem nem as coisas simples nem as mais profundas.

Não percebem se estão com fome, com sede, com sono, cansadas, se precisam de abraço, de carinho, de amor... coisas tão simples que as deixariam talvez mais tranquilas e satisfeitas.

Não notam que não estão realizando sua missão de vida, sua essência, seu projeto, seu objetivo. As pessoas nem se dão conta de que estão patinando, perdendo o rumo, sem foco, atirando para todos os cantos, não porque lhes falte competência para isso, mas porque não têm projetos de verdade.

As pessoas não sabem o que querem, qual seu objetivo, e o que as faz realmente felizes.

Meio de vida e meio de morte

Muita gente vai atrás de dinheiro para ter tranquilidade e não precisar se preocupar, mas para isso perde justamente sua paz e sua tranquilidade.

Vivemos em um mundo cuja realidade nos absorve completamente. O excesso de atividade, responsabilidade, tarefas e, ao mesmo tempo, as pressões para sermos melhores, mais competentes, mais felizes, conciliar, sempre e perfeitamente, vida profissional e pessoal, todas essas exigências nos fazem sentir "atolados"

- diante das atividades do dia a dia, sobrecarregados e agindo
- presos aos hábitos repetitivos de comportamento e também de pensamento.

Trabalhar e lutar para ter coisas, em nome da tal felicidade, fazendo tudo loucamente é o que as pessoas chamam de meio de vida.

Na verdade, eu chamo isso de "meio de morte".

Fazer coisas como meio de morte é consumir-se em algo que não dá prazer, não faz sentido, não tem significado nem gratificação. É fazer as coisas ruins reduzindo as boas a apenas alguns momentos fugazes com amigos, lazer, diversão, prazer, viagens, amor etc.

Há quem trabalhe um ano inteiro para ter 15 dias de lazer nas férias. E ache que essas férias vão compensar tudo. Só que a ansiedade para aproveitar é tanta que nem consegue relaxar.

Há também quem anseie durante a semana pela sexta-feira, para ter um dia ou dois de vida, pois nos outros a pessoa não considera que esteja vivendo. E deprime-se no domingo, pois imagina que a vida acabará ali.

É como se as pessoas, quando vão trabalhar ou estudar, apertassem o botão de "pausa" na vida. No fim de semana, nas férias, nos feriados, elas soltam o botão de pausa e se divertem, mas pensam que durante o tempo em que trabalham elas não vivem.

Trabalhar para sobreviver é meio de morte: você acorda e queria estar dormindo, vai ao trabalho e preferia estar em outro lugar, passa por experiências desagradáveis e volta para casa para dormir.

É claro que acorda com o estranho gosto amargo do dia de ontem, com a sensação de que hoje vai ser idêntico ao que acabou de viver.

Fazer as coisas como meio de vida é bem diferente de fazer como meio de morte.

Tudo o que faz com que você se sinta vivo é meio de vida.

Tudo o que você faz e faça você se sentir consumido, desgastado, é meio de morte.

Se você precisa fazer uma viagem a trabalho e o faz como se estivesse cumprindo uma obrigação maldita, chateando-se porque não queria estar lá, você está fazendo isso como meio de morte.

No entanto, se você faz a mesma viagem e observa os lugares, as pessoas, os costumes, as curiosidades e diverte-se, desfruta e aproveita o todo da experiência, você poderá transformá-la em meio de vida.

É isso mesmo: depende de você transformar meio de morte em meio de vida.

Precisamos colocar no dia a dia o nosso jeito de viver a vida, o modo como gostamos que as coisas aconteçam. A vida não pode consumi-lo, dragar você.

Se você viver assim, não sobra tempo para viver de verdade. Somando as horas de trabalho, estudo, sono, alimentação, higiene etc., você terá, em todos os anos vividos, menos de 24 meses para fazer o que realmente você quer da sua vida.

Por que a escola é tão extenuante para os alunos? Quando eles estão em um parque de diversões, passando por experiências até mais desafiadoras, como uma montanha russa, por exemplo, eles não chamam aquilo de estresse, mas de diversão.

O ponto é que é possível trabalhar e ao mesmo tempo ter prazer e se divertir. Quem trabalha mais constrói e sai de uma experiência com mais energia do que entrou, se aproveita, desfruta e transforma a obrigação em prazer.

Infelizmente, isso não acontece na maioria das vezes porque as pessoas são mesquinhas com a vida. Elas não se entregam, não aproveitam de corpo e alma, mas tentam ficar na borda das experiências.

Se fizessem justamente o contrário, tirariam vida da vida e não morte da vida.

É claro que existem sempre as experiências ruins, desagradáveis, momentos doloridos que não podem ser evitados. Existem as decepções, as tristezas e as infelicidades, mas até a postura com que você administra esses momentos maus faz a diferença para essas experiências.

As decepções inevitáveis da vida causam estresse, não há o que discutir. O estresse é uma reação orgânica por meio da qual o organismo mobiliza-se para enfrentar desafios ou situações perigosas ou difíceis. Seus sensores corporais percebem a situação e isso dispara uma reação em cadeia: determinados hormônios são liberados durante essa reação fisiológica e preparam seus órgãos e sistemas para agir em uma situação especial.

As adversidades podem ser enfrentadas com dois tipos de estresse: o eustresse ("eu" do grego: bom, bonito) e o distresse ("dis" do grego: mal estado, defeito, dificuldade). O estresse, em si, não é negativo ou positivo, ele adquire essa característica segundo a forma como a pessoa vivencia determinada situação.

Então, o estresse também pode ser usado na perspectiva positiva, como "estresse bom", necessário à vida e que se manifesta quando acontecem fatos construtivos e percebidos pelo indivíduo como interessantes. Por exemplo, uma promoção no trabalho que pode trazer mais responsabilidades, mas também mais satisfações. Ou, então, como acontece com um atleta que vai participar de uma prova de corrida de 100 metros rasos; antes da competição seu organismo se prepara, aumentando a atenção, a força física e a resistência, necessárias para alcançar o objetivo no curto prazo.

Em outras palavras, podemos ter o "eustresse" quando a experiência é desejada e nos proporciona uma sensação de bem-estar, causando sentimentos de satisfação e uma sensação de domínio do contexto. O foco da pessoa é no resultado, na realização, na solução e não na dificuldade. Quando você precisa que seu corpo se mobilize para enfrentar situações complicadas, acontece o "eustresse", que leva você para a ação e o impele a agir com energia e intensidade.

No entanto, o que mais conhecemos é o "distresse", o "estresse negativo", aquele que provoca desequilíbrios emocionais e físicos, quando a sensação prevalente é a de que não conseguimos ter domínio do contexto e dos fatos. Isso acontece, por exemplo, nos momentos de uma

- demissão imprevista ou uma
- doença. Nos dias de hoje, muito do "estresse negativo" é causado pela sensação de frustração que a vida moderna nos "obriga" a experimentar como reação às dificuldades, às pressões e aos desafios que surgem diante dos seres humanos, em suas esferas pessoal e profissional.

O problema não é o estresse em si, mas o prolongamento dessa reação de seu corpo por mais tempo do que seria ideal. É aí que começa o "distresse". O "eustresse" é o estresse da vida e o "distresse" é o estresse das doenças.

Por isso, a maioria das pessoas vive em constante fase de resistência prolongada ao estresse, mesmo sem fatos que provoquem estresse agudo. Nessa contínua condição, nosso organismo apresenta reações químicas e físicas específicas, como a sensação de "estou em perigo", e muitas vezes a pessoa reage de modo desproporcional e exagerado, até mesmo a estímulos de estresse de pouca relevância. Nessa presença de estresse duradouro, o foco permanece na dificuldade, no problema, no impasse e na adversidade.

Quando essa situação não termina, você passa a entrar em "distresse", pois ele faz com que a energia acumulada estoure dentro de você e traga reações negativas ao seu organismo, esgotando seu sistema nervoso. Assim, com "distresse", você fica em um impasse, não foca a ação, o resultado e a prática.

Por isso, após um estresse, você precisa relaxar, divertir-se, deixar que as experiências aconteçam, mas sem entrar em exaustão. É preciso não deixar as tensões, os cansaços, as angústias e os descontentamentos acumularem-se.

Se você tem apenas momentos de relaxamento e descanso esparsos, como fins de semana, feriados e férias, certamente está deixando seu corpo juntar demais o que causa "distresse", o que transforma as experiências em meio de morte.

Entretanto, se você se divertir e aproveitar tudo o que você vivencia sem deixar o estresse se acumular, estará se energizando e deixando que a vida, e não a morte, flua em suas ações.

Preferência e necessidade

Na vida corrida que temos, como eu disse, ficamos tão imersos na resolução dos problemas e na luta pela sobrevivência que paramos de perceber as coisas mais básicas, as mais simples, que são nossas necessidades.

Capacidade de ter foco nas suas necessidades e nas suas preferências é fundamental. Em alguns momentos, as pessoas se esquecem de ficar focadas nas preferências e perdem a percepção de necessidade.

É comum parar e perceber que nos esquecemos de beber água. É tão vital... e nos esquecemos da necessidade.

O dia passa e não notamos que estamos cansados, com fome, com sono... Tem gente que respira mal. Respirar bem é o mínimo que devemos fazer: é ar, é vital. O tempo passa e não nos lembramos de que precisamos comer e repor as energias, e que também precisamos de carinho, afeto, um abraço, um beijo, uma palavra...

Ficamos com carências, com buracos, pois não atendemos às nossas necessidades. E, quando nos damos conta, procuramos preenchê-las, mas a partir de nossas preferências.

Então, queremos comprar coisas, ir a lugares, fazer determinadas atividades que não suprem aquilo que está faltando, mas substituem.

Desse modo, tentamos preencher a falta de afeto com sapatos, a falta de conforto com comida, a falta de bem-estar com drogas e todas as outras faltas que conhecemos bem.

Quantos exemplos não conhecemos assim? Pessoas famosas, artistas e celebridades, que, aparentemente têm tudo, mas que perdem a vida por causa de álcool e outros vícios, em uma tentativa desesperada de satisfazer o que não foi satisfeito como deveria.

As pessoas vão substituindo e repondo suas necessidades com preferências e perdem a percepção do que precisavam mesmo.

Há quem arrume briga com o marido ou com a mulher quando está querendo carinho e beijo, apenas para atender sua falta de amor e atenção. Fazendo isso, a pessoa se sente estimulada e se contenta com a migalha em vez de aproveitar o banquete.

É claro que substituir não é o mesmo que suprir a necessidade. É por isso que começam as brigas pelas preferências: um teima que quer azul, o outro que quer amarelo, e não percebem o que está por trás disso, distanciando-se das necessidades reais e das pessoas queridas.

Não há problemas em ter preferências, mas você precisa sentir suas necessidades. Você pode ter um bom carro, uma ótima casa, uma cobertura, uma lancha e um helicóptero. Contudo, você precisa suprir o que realmente está faltando.

No fundo, muita gente busca a casa e a lancha porque pensa que quando as tiver ganhará a atenção, o abraço e a companhia dos amigos.

Existe um movimento compensatório em relação às necessidades não supridas. No entanto, isso leva a vida a ser apenas um movimento de compensação de perdas, e não de realização de desejos e sonhos.

Em geral, queremos ter prazer, amigos, saúde, alegria, nos sentirmos queridos, amados e considerados. Quando não temos isso, podemos buscar a satisfação desses desejos, ou então a sua compensação.

Quando a satisfação real das nossas necessidades parece difícil demais, complicada demais, a tendência é satisfazê-las de maneira paliativa, compensando-as.

Comer pode ser uma compensação, e isso é fácil de perceber. Em geral, acontece quando comemos o que não deveríamos, e fazemos isso para sentir algum conforto, bem-estar ou prazer.

Ter um carro grande não significa ter uma grande felicidade. Quem tem objetos caros não necessariamente tem valor em sua vida. Quando estou trabalhando muito desorde-

- nadamente, de modo que não consigo chegar a um resultado,
- talvez eu busque compensar isso de outra maneira.

As pessoas vão ao shopping e gastam um salário inteiro, endividando-se, e pensam: "Ah, pelo menos eu comprei um monte de coisas. Eu mereço!". Quem faz isso talvez queira se sentir querido e ter alguém para quem se arrumar com as coisas que tanto compra.

Algumas pessoas trabalham tanto, e provavelmente a única coisa que gostariam de ouvir é: "Como você é determinado!". Há quem faça a faculdade que os pais queriam, e não aquela com a qual sonhava, para se sentir amado.

A pessoa prefere ser infeliz, mas se sentir amada. É o amor que custa a felicidade.

Qualidade de vida e vida com qualidade

Às vezes, parece que viver bem não é algo visto com bons olhos na sociedade.

Se você está determinado a alcançar seu objetivo e faz isso com prazer e dedicação ao trabalho, as pessoas dizem: "Puxa, você está trabalhando demais!".

Se você tira férias, socialmente também é criticado: "Nossa, *bon vivant*, hein? Está com a vida ganha?".

Se sua aparência é saudável, bronzeada e seu corpo é torneado, com músculos treinados, já ouve: "Que bronzeado, hein? Vai todo final de semana para praia e fica horas na academia... Você não trabalha não?".

Se um casal está em um cinema ou restaurante, demonstrando seu amor com abraços e beijos, as pessoas já pensam: "Que falta de compostura!".

Contudo, não é exatamente isso o que as pessoas querem? Ser bem-sucedidas no trabalho, gostar do que fazem, tirar férias, ter saúde e qualidade de vida, amar e ser amadas?

Socialmente, parece que é mais bem aceito que as pessoas tenham problemas no trabalho, doenças, atitudes desamorosas em locais públicos e problemas afetivos. Profissional bom é aquele que vai perder os cabelos rapidamente, ter um enfarte, ficar careca, estressado...

Existe o que as pessoas chamam de qualidade de vida, que é até medida por um índice internacional, felicidade interna bruta (FIB). No entanto, precisamos considerar também: sua vida está tendo qualidade?

Nas pesquisas de recenseamento, a qualidade de vida é medida pelo número de televisores, aparelhos de micro-ondas, banheiros e outras coisas que se tem em casa.

Pode ser, porém, que uma pessoa que nem tenha banheiro em casa, mas uma "casinha" lá no fundo, leve uma vida com mais qualidade do que alguém que tenha muita qualidade de vida.

Esse é mesmo um conceito relativo. Eu posso estar dentro de uma casa maravilhosa, com qualidade de vida, mas será que minha vida tem qualidade dentro dessa casa?

A reflexão não é sobre quanto você tem, mas como você vive. É possível que uma pessoa com pouquíssimas coisas materiais, que viva pescando

- na praia, tenha uma vida com muito mais qualidade.
- Não são quantas horas você trabalha o que importa, mas se esse trabalho está fazendo você viver com prazer e realização. Não é com quem você se relaciona, mas como faz isso e o que gera para você e para as pessoas.

Precisamos mudar a referência de que é necessário comprar coisas e ter dinheiro para ter uma vida com qualidade. Existe sempre a praia no fim de semana, o passeio pelas montanhas, o banho de rio, o futebol, o pagode e a roda de amigos. Não é preciso muito para as pessoas irem trabalhar no dia seguinte com um sorriso no rosto, felizes e desopiladas.

Construa um novo futuro

Às vezes, precisamos desmascarar as falsas seguranças que os hábitos nos propiciam, e sobre as quais construímos nossa vida. Será que elas não estão nos distanciando da alegria de viver?

Se isso está acontecendo, é preciso abrir mão do conhecido para poder escolher ir por uma direção e decidir trilhar novos caminhos.

Para realizar uma mudança, muitas vezes precisamos morrer metaforicamente para os velhos hábitos. É como a metamorfose da lagarta. Para se transformar em borboleta, a lagarta desaparece, "morre". Morre para aquela identidade de lagarta, que com certeza a conduziu até aquele momento de transformação, mas que daquele ponto em diante não serve mais. Se ela se mantiver presa à forma anterior, ela de fato morrerá para a vida.

Para bater asas e voar, ela precisa sair da situação de segurança que o casulo lhe oferece e se jogar no que ainda é desconhecido. A lagarta precisa assumir um compromisso de liberdade, de realizar sua missão de voar. Deve abraçar sua identidade de borboleta morrendo para a identidade de lagarta.

Há momentos na vida em que nós também precisamos morrer para o velho, para o que fomos, para o que nos limita, e viver o que escolhemos.

Temos a capacidade de decidir sobre pontos limitantes da nossa vida para transformar tudo o que ousamos sonhar para a nossa realidade.

Se retomarmos decisões do passado que não nos levaram a lugar nenhum, nada vai acontecer. Entretanto, temos condição de tomar uma decisão diferente que vai nos levar a pontos diferentes.

Somos fruto das nossas escolhas diante das variáveis que encontramos. As pessoas não se dão conta de que as escolhas definem o destino para aonde estamos indo.

Você pode dizer: "Ah, tudo bem, eu sou assim mesmo, eu sou tímido, eu sou retraído...". Se você continuar escolhendo ser tímido, você estará escolhendo seu destino. Você precisa "redecidir" para aonde você vai levar sua vida, que futuro quer para você.

Este pode ser o melhor momento para você fazer uma profunda reflexão sobre a importância de assumir o compromisso consigo mesmo e com seus sonhos, com a vontade de viver e com o desejo de ser aquilo que se quer ser no momento presente, direcionar sua atenção para o desenvolvimento do próprio poder pessoal e da realização.

A grande questão é que não existem fórmulas prontas. A saída é refletir sempre sobre o que somos e o que queremos. Seja dono do seu destino. Rompa o compromisso com as justificativas e as desculpas. Deixe os velhos hábitos que já sabemos aonde o levarão e vá ao encontro dos seus sonhos e construa o futuro que você merece!

A seguir, vou mostrar as raízes que seguram quem não está conseguindo voar em direção à realização de seus sonhos. Quanto mais cedo você tiver esses conceitos claros e definidos, mais rapidamente criará uma trajetória de sucesso.

 Quanto mais cedo você descobrir qual é seu propósito na vida, mais rapidamente exercerá o genuíno poder de criar os resultados que deseja, com felicidade, amor e alegria.

O primeiro passo para isso é eliminar de seus dias a sensação de que falta alguma coisa. O caminho é descobrir quais são as raízes, ou seja, as causas que seguram você e o impedem de alcançar seus objetivos, realizar seus sonhos e voar alto. Em geral, existem três fatores que não nos deixam sair do "quase":

Filtros: Muitas vezes, as pessoas passam pelas experiências da vida e não tiram delas a lição. Repetem-nas e repetem-nas, mas não aprendem o que o universo está querendo mostrar, mesmo sentindo na pele os fatos. Isso acontece porque usamos diferentes lentes para enxergar a vida, ou seja, é como se cada um olhasse o mundo e os acontecimentos com um filtro particular. Dependendo de qual tipo de filtro usamos, percebemos mais ou menos as experiências, pois as imagens que vemos são ilusões que temos de nós mesmos. E isso nubla nossa visão em relação ao objetivo que queremos alcançar.

Foco: As pessoas não conseguem atingir seus sonhos e objetivos porque no fundo não estabeleceram ainda quais são eles. Por isso, vão para qualquer lado e não põem energia para fazer seu projeto acontecer. Não se concentram e não focam o que mais querem que aconteça. Ter foco é muito importante. A diferença entre conseguir correr 4 metros e conseguir percorrer 8 metros está exatamente em manter o foco, pois o esforço para cada passada, para cada metro avançado, é o mesmo. Temos sempre a tentação de nos dispersar do que queremos, e de nos desviar de nosso objetivo. Concentrar-se sem se desviar de um objetivo estabelecido é o que fará você se manter firme até chegar a ele.

Posicionamento: O resultado é sempre fruto de onde você coloca sua atenção. Se você se concentrar nos problemas, se colocar atenção neles, terá se posicionado do lado dos problemas. Agora, se você se posicionar do lado da solução, esse será o objeto da sua atenção e, consequentemente, o resultado alcançado. Se você se posiciona para ter resultados, você focaliza isso. Infelizmente, as pessoas não têm o pensamento que atrai o que elas querem, porque se posicionam no lugar errado. Elas duvidam e pensam na impossibilidade. As pessoas precisam manter o centramento, percebendo como estão se posicionando. Para ter domínio da realidade e dos resultados, a primeira providência é perceber corretamente qual é seu posicionamento e ajustá-lo.

Os filtros que usamos para viver

Todos nós usamos filtros para enxergar a vida. Eles são uma forma de proteção, mas também funcionam como uma barreira entre o que acontece e o que interpretamos do que acontece.

São esses filtros que vamos incorporando ao longo da vida que fazem com que, muitas vezes, nos desviemos das rotas que desejamos seguir, pois não enxergamos o que está no fim do caminho e vamos para outro lado.

Os filtros se originam de nossas crenças, de frustrações, resultados que tiramos de experiências, predisposições, dores, mágoas... Temos tendência para achar que, porque um fato aconteceu, ele sempre se repetirá.

Usar filtros drena nossa energia, é um constante processo de análise e bloqueio do que realmente chega até nós. Para tudo, temos uma prevenção, para evitar repetir experiências fortes e desagradáveis pelas quais passamos.

Quando passamos por algo, dependendo de como a situação se apresenta, nosso cérebro tem a tendência de buscar comparações e reagir de acordo com a interpretação que ele faz do que está para acontecer. Passamos a enxergar monstros e fantasmas em coisas que, muitas vezes, não têm nada de assustadoras.

Isso faz com que, em vez de percebermos a experiência como ela é, percebamos de acordo com o filtro que usamos para ver. E não a aproveitamos de modo pleno, até evitamos passar por ela e experimentar novas maneiras de ser e fazer.

Posso estar no positivo ou no negativo, no fracasso ou no sucesso, no bem ou no mal. Se eu passo por uma percepção, ela me remete aos filtros que tenho usado para enxergar a vida.

Por vezes, um tímido se comporta sempre como tímido não exatamente por causa de algo inerente a ele, mas de um filme que passa na cabeça dele, que o faz condicionar-se a ser daquele jeito, a sentir daquele jeito, a se comportar timidamente porque ele se convenceu de que é tímido.

Enxergamos a realidade e as outras pessoas por meio dos filtros criados no decorrer da nossa vida e conforme enxergarmos a nós mesmos. Ao longo da vida, vamos adquirindo aprendizados, comportamentos e posturas que acabamos por cristalizar e incorporar em nossa realidade.

A grande maioria das pessoas não se dá conta de que utiliza, para viver e enxergar os fatos, os filtros oriundos daquilo que vivencia. Esses filtros são os pensamentos, os sentimentos, as crenças, as experiências, as lembranças... Há uma história que exemplifica bem esse ponto:

> Um homem estava deitado na beira da estrada. Não estava nem ferido, nem morto, mas só coberto de poeira. Um ladrão passou e olhou para ele e pensou: "Com certeza é um ladrão que adormeceu. A polícia deve estar procurando-o. É melhor ir embora antes que chegue". Em seguida, um bêbado tropeçou nele: "Olha o que acontece a quem não sabe beber e não suporta o álcool", pensou. Passou também um homem sábio. Olhou e se aproximou do homem e falou para si mesmo: "Esse homem está em êxtase. Vou meditar ao lado dele".

Estamos constantemente criando nossas experiências subjetivas da realidade. As mais profundas crenças e expectativas sobre nós mesmos, sobre os outros e sobre a vida determinam o modo como percebemos a realidade externa e como interpretamos tudo o que nos acontece. Dentro de uma maneira muito real, o que vivenciamos em nossa existência é um reflexo de valores, crenças e sentimentos que guardamos em nossa consciência.

Nossa vida é como um grande carrinho de supermercado. Às vezes, compramos o que não precisamos e aí, chegamos à nossa casa e nos perguntamos: "Por que mesmo comprei isso?". Com nossas ações não é diferente. O que você coloca em sua vida está à sua disposição, e você vai levando essas "compras" nas suas decisões, no seu comportamento. Na maioria das vezes, o que é importante fica ofuscado por essas compras inúteis, frequentemente destrutivas.

Já vi muitas pessoas utilizarem os mais diversos tipos de filtros limitantes. Quem tem a postura de sofredor tem um filtro de sofrimento, provavelmente vivenciou uma experiência que o marcou anteriormente, incorporou-a em sua bagagem e tem dificuldade de enxergar de outra maneira.

Outro caso comum de filtros negativos é a autossabotagem. É claro que uma pessoa não se autossabota de maneira consciente. O autossabotador não percebe que faz de tudo para que as coisas não deem certo para ele. Pessoas com esse tipo de filtro não conseguem se perceber, e as imagens mentais que constroem de si mesmas se tornam sua prisão.

Tem gente que se sente inquilino dentro da própria vida, não se sente dono. É como se, em algum momento, alguém pudesse tirá-la dele. Isso faz com que usemos filtros que podem não ser nossos, e um dia podemos nos dar conta disso.

Tenho uma referência forte, que é meu pai. Ele teve três enfartes. Um dia, eu tive um acidente vascular cerebral (AVC) e, depois de um tempo, tive outro. Aquilo foi muito forte em minha vida, e comecei a perceber que talvez eu estivesse vivendo de acordo com um filtro que me levava a concluir que, se eu admirava meu pai, precisava repetir as experiências que ele teve, e levar minha vida de tal forma que eu passasse pelas mesmas coisas que ele passou. Se eu continuasse a pensar daquela maneira, com aquele filtro, eu teria o terceiro AVC em breve.

É claro que viver assim é muito ruim! Contudo, fatos como esse nos levam a perceber que, ao longo da vida, fomos comprando e adquirindo nossos filtros, nossas lentes, não apenas a partir de nossas crenças e convicções, mas também das dos outros: pegamos para nós o fracasso de um, o sucesso de outro, e vamos vivendo a vida como se ela tivesse de ser, obrigatoriamente, dessa maneira.

É falso quando uma pessoa diz para você: "Veja fulano, como ele teve sucesso, como ele venceu. Observe o que ele fez e faça também!". Digo a você, no entanto, que não adianta fazer a mesma coisa que fulano fez, porque não produzirá o mesmo resultado.

Mesmo se eu treinar como Cesar Cielo, nadador campeão, não vou conseguir fazer o mesmo que ele fez. Vou conseguir fazer apenas aquilo que eu for capaz de fazer, de acordo com minha preparação e meu conjunto de condições. Só o Cesar Cielo está na pele dele, só ele é do jeito que ele é. E só eu sou do jeito que eu sou e sinto como eu me sinto. O filme que passa na cabeça dele, o filtro que está lá dentro dele e que o levou a determinado resultado, é fruto do que ele juntou ao longo da vida.

Cielo tem domínio de realidade e de resultado, mas eu sou diferente em muita coisa. O que somos depende de uma sequência de fatores, que não são mutáveis de fora para dentro, mas de dentro para fora.

É preciso dar o "clique certo" para que você possa parar e começar a rever quais são seus filtros, e por que você está tão fechado nesses conceitos sobre si mesmo, para começar a mudar. Aí, sim, é possível fazer uma ação alimentada por um querer comprometido, que vai levá-lo ao que você quer, e não ao que os outros fizeram. E também a reconhecer quais são suas crenças e barreiras que o impedem de alcançar o que você mais quer.

O analfabetismo funcional sensorial

Às vezes, ficamos tão preocupados com as experiências que ficamos fechados para o ensinamento que elas nos trazem. É durante a experiência, no momento presente, que podemos entrar em contato com a realidade e utilizar nossos potenciais e nossas qualidades para escolher e criar nossos sonhos.

Uma das causas que faz as pessoas não conseguirem realizar e viver seus sonhos é exatamente essa: passar por experiências e não conseguir retirar delas o aprendizado, que permite que elas corrijam a rota para chegar à realização dos seus objetivos. As pessoas não aproveitam a oportunidade de reter algo que uma vivência, boa ou má, sempre fornece.

Faço aqui um paralelo: existem pessoas que aprenderam a ler e a escrever, que conhecem as letras e suas combinações, mas não são capazes de entender o que significa um texto escrito. Alguém lê um livro, ou uma pequena matéria em uma revista, e não consegue perceber o significado do conteúdo. Essas pessoas são chamadas de analfabetas funcionais, pois, apesar de saberem qual é o código da linguagem, não conseguem abstrair o significado de um texto.

Os dois tipos têm muita semelhança, pois o primeiro grupo de pessoas não entende o significado das experiências da mesma maneira que as outras pessoas não compreendem o teor de uma escrita. Chamo-as de *analfabetas funcionais sensoriais*, pois não conseguem ter percepções para absorver e incorporar aquilo que uma experiência proporcionou, não são capazes de analisar o que se passou e tirar lições desses acontecimentos, para poder utilizá-los como base para outras situações que estão por vir.

Por isso, encontramos pessoas que sabem inúmeras lições de palavras, mas quase nada de lições de vida. Isso faz com que procurem sempre um culpado por aquilo que estão vivendo, pois se sentem incompreendidas, ressentidas, e quase sempre estão carregando o passado como um grande fardo que alguém colocou nas suas costas.

Algumas pessoas culpam seus pais, outros culpam seus chefes, ou seus amigos, ou então seus irmãos por aquilo que elas não estão vivendo, em vez de aprender com as situações da vida para se tornarem melhores do que já foram, melhores do que são hoje e ser ainda melhores amanhã.

Quem assume a postura de vítima sempre se vê menor do que é, pois não tem a percepção correta da amplitude e grandiosidade de si mesmo. Esse tipo de pessoa não luta para mudar a programação à qual o cérebro está habituado. •

Para exemplificar, vou propor uma viagem mental: por um momento, imagine que você é uma águia que voa bem alto, sobre um grande cânion. Se você tivesse de descrever a imagem que lhe vem à mente, provavelmente diria que o cânion é uma fenda enorme e profunda na terra. Agora, imagine-se como uma formiga no fundo do cânion. Sua descrição, neste caso, revelaria que o cânion é constituído por altíssimas montanhas que chegam ao céu.

Nem a formiga e nem a águia estão erradas. Elas estão apenas limitadas a uma perspectiva. A formiga olha ao redor e se vê em um imenso buraco, de tal profundidade, que se sente prisioneira daquele lugar. Tem certeza de que, por mais que ande, jamais sairá dali. A águia, por sua vez, olha do alto para aquela profundeza e não consegue imaginar como é viver lá embaixo, no chão. Na verdade, quem olha de cima se vê de um jeito; quem olha de baixo, se vê de outro. E ninguém consegue imaginar nada diferente.

Muitas pessoas se sentem como a águia e outras como a formiga: só conseguem enxergar por uma perspectiva, mas todos nós temos a capacidade de enxergar por várias perspectivas, e ver o mundo com outros olhos, de pontos de vista diferentes para vislumbrar possibilidades, realidades, direções e incentivar o prazer de pensar, inovar, sentir e escolher.

Se sou analfabeto funcional sensorial, não percebo a realidade e repito o que vivi e senti no passado. Por isso, mesmo quando você tem a concreta possibilidade de construir uma realidade nova, você não percebe a chance e a perde.

Os analfabetos funcionais sensoriais geralmente adotam um padrão de comportamento programado para repetir e não para inovar. O cérebro recebe os estímulos, porém está condicionado a não mudar o percurso já adquirido. Não percebem que ligaram o "piloto automático" e que começaram a se tornar um fantasma da pessoa que realmente eram.

A saída é perguntar-se e não culpar-se. Por exemplo, em vez de gerar o mesmo diálogo crítico consigo mesmo, do tipo: "Você não fez isso corretamente", poderíamos nos perguntar: "O que eu preciso fazer agora para transformar essa adversidade no resultado que eu desejo?".

Para ter um foco verdadeiro, você precisa perceber as lições, as experiências, retirar os resultados, e olhar exatamente como você está se posicionando hoje. Para você ter domínio do que acontece na realidade, e com isso ter domínio sobre os resultados que você quer obter, existe a necessidade de fazer um primeiro movimento: afinar a percepção.

Passar por experiências e aprender com elas é a melhor maneira de aproveitar as lições que a vida nos dá de aprender a não repetir erros. É preciso que tenhamos em mente que possuímos competências, qualidades e condições de entrar em uma experiência de vida e tirar lições valiosas, mas, para isso, é preciso saber interpretar as mensagens.

A resposta está na própria pergunta; porém, sem nos questionarmos, não teremos respostas. A vida está clamando por uma atitude diferente diante de velhos problemas.

Quando só acreditamos na verdade dos outros, na crença e nos valores alheios, não nos lembramos da nossa verdade. Precisamos nos perguntar o que há de imóvel e estagnado dentro de nós, e se estamos vivendo a vida que gostaríamos.

O modelo que copiamos, seja do pai, da mãe, do grupo, de pessoas da comunidade, do convívio social, seja de alguém desconhecido, pode fazer parte da nossa vida por um tempo. O problema se instaura quando esse modelo encrava em nós como uma segunda pele, bloqueando os poros de nossos desejos mais profundos, e impedindo nossos sonhos de virem à tona, pois ficamos incapazes de discernir adequadamente.

Existe um ditado zen que nos ensina sobre isso: "Quando o peixe está no oceano, o oceano é infinito. Quando o pássaro está no céu, o céu é infinito". Cada ser vive plenamente manifestando a própria natureza, no próprio elemento natural que se torna um espaço infinito de sua vida e realização.

O pássaro na água se afoga, e o peixe no céu sufoca-se. O real desafio se refere a quem você é, quais os princípios e os valores importantes que guiam suas decisões e ações, e que levam você a viver uma vida íntegra.

O medo do fracasso

Já conheci muitas pessoas de sucesso que se achavam um fracasso. Não conseguiam se ver como realmente eram e por isso não acreditavam em si mesmas nem colocavam em prática seus potenciais.

Sentir isso é questão de posicionamento, de como a pessoa se coloca e se percebe na vida. Em geral, é típico de quem se coloca no lado dos problemas, do insucesso e das desgraças e das catástrofes. É evidente que isso gera medo, pois essas pessoas vivem em um mundo perigoso (para elas, é claro).

Muita gente passa a vida temendo o fracasso. Olham para o futuro pensando que sempre haverá um resultado negativo para qualquer coisa que faça. Isso é muito comum na vida de todos nós. Quantas pessoas você conhece que pensam em suas metas e chegam à conclusão de que é melhor abandoná-las, porque certamente fracassariam?

Elas passam parte do seu tempo vivendo a autocrítica, a autoexigência e o perfeccionismo, pois, em sua cabeça, se não forem perfeitas, não serão aceitas nem se aceitarão, passando a viver um processo de autodesqualificação dos resultados atingidos.

Para elas, é como se, ao terminar o trabalho, os elogios recebidos fossem apenas uma forma educada de as outras pessoas disfarçarem seu desagrado. Essas pessoas são aquelas que enxergam uma catástrofe em cada esquina:

- "Eu não vou conseguir aquele emprego."
- "Há candidatos melhores que eu."
- "Não vou conseguir chegar a tempo para fazer o exame."
- "Vou entrar em pânico, e aí não conseguirei falar uma palavra em público."

As iniciativas de mudanças ficam paralisadas pelo temor do erro próprio e dos julgamentos e acusações alheios. Sobre isso, Henry Ford disse: "Há mais pessoas que desistem que pessoas que fracassam!".

Por alguma razão anterior em sua experiência de vida, você obteve êxito e, em seguida, viveu uma má experiência. A partir daí, construiu uma proteção: quando está quase conseguindo algo, você se autossabota. Na verdade, esse é o comportamento de quem teme o sucesso. Teme perder, então prefere não ganhar, assim não corre riscos. Existe uma história de que gosto muito e que ilustra esse assunto:

Um discípulo pergunta ao seu mestre: "Mestre, há uma coisa que ainda não compreendo". O mestre olha ternamente para o jovem e pergunta: "Diga, meu confuso e curioso discípulo, o que o intriga tanto assim?". E ele questiona: "Mestre, afinal, quem sou eu?".

"Como você é um discípulo muito aplicado, está na hora de descobrir essa resposta. Por favor, apanhe uma cebola e uma faca." O discípulo rapidamente traz a cebola e a faca.

O mestre pega a cebola e a faca e começa a descascar a cebola, dizendo: "Meu jovem, você é como esta cebola. Veja só, se tirarmos uma camada, o que resta?". "Ora, Mestre, resta outra camada de cebola! Eu continuo não entendendo." "Acalme-se e preste atenção. As coisas nem sempre são o que parecem ser. Se eu retiro esta outra camada da cebola, o que resta?". E o rapaz diz: "Outra camada mais interna, meu mestre".

E o mestre foi assim, camada a camada, descascando a cebola, até que finalmente chegou à última camada interna. "Retirando essa última camada, o que resta, meu jovem?". O discípulo estava ainda mais confuso, queria saber quem ele era afinal, e o velho mestre ficava descascando uma cebola até não ter mais nada em suas mãos. "Como isso poderia explicar algo tão importante como quem eu sou?", pensava o discípulo, que disse: "Ora, mestre, tirando a última camada não resta mais nada!".

"Nada?" O mestre respira profundamente, olha por alguns minutos para a mão vazia, em seguida seu olhar percorre o ambiente ao redor e ele então pergunta: "Não restou nada mesmo, meu jovem? Preste atenção e me diga, o que restou?". E o rapaz repete o olhar do mestre, olhando em volta, e finalmente entende: "O universo mestre! Restou o universo!".

Quando retiramos as camadas que temos formadas por padrões de comportamento antigos e limitantes que nos aprisionam, o que resta é um universo de novas e infinitas possibilidades.

De tempos em tempos, lembro-me de experiências por que passei quando estive na Índia. Quando fiquei nesse país, vivi as coisas mais fantásticas e deslumbrantes de minha vida, e foi em meio delas que retomei o contato com o que realmente era minha essência, com o que eu queria fazer, com o que eu queria viver.

Em momentos assim, você se lembra que não quer deixar de ganhar dinheiro, mas passa a levar em consideração *como* é que você quer ganhá-lo. Nessas oportunidades, retomamos o foco da vida, dos sonhos, dos objetivos, e voltamos a nos centrar.

Quando você analisa a questão do posicionamento, começa a pensar se quer ficar do lado dos problemas – ser os problemas – ou se prefere ficar do lado da solução, e ser a solução.

Se você tem dificuldade em fazer atividades físicas, não é porque você não quer o resultado, mas talvez seja porque você esteja se posicionando do lado do problema, sem focar na solução, que é ter mais saúde, mais disposição e mais energia. Tirando o foco do problema – a dificuldade – e colocando-o na solução, tudo fica mais fácil, pois seu objetivo fica bem diante de você, alinhado com todas as atitudes que você precisa tomar para concretizá-lo.

Em geral, as pessoas buscam desenvolver sua espiritualidade nos momentos em que estão mal, passando por dificuldades e problemas. Com certeza você conhece pessoas que só lembram-se de Deus nos momentos difíceis, e esquecem-se dEle nos momentos fáceis. A verdade, porém, é que Deus está lá em todos os momentos. Somos nós que não desenvolvemos nossa sensibilidade ou habilidade para ouvi-Lo.

Essa atitude também mostra uma dose de arrogância nossa, pois quando as coisas estão bem, achamos que não precisamos mudar nada. É só quando quase afundamos nos dias difíceis, quando quase perdemos a vida, é que passamos a valorizá-la, e a dar importância ao amor, à liberdade e a outros valores.

Existem momentos na vida em que as coisas velhas precisam ser tiradas para poder criar uma ordem no próprio espaço interior.

É importante ter a coragem de ir além de todas as justificativas que freiam o caminhar pela vida. Faça um balanço de sua existência, considere os "ativos" e os "passivos" e deixe os fardos caírem. As portas da transformação e da realização abrem-se apenas do lado de dentro de cada um de nós. Somos os únicos responsáveis por abrir ou não essas portas.

Por isso, mais importante que o julgamento dos outros é o julgamentos que fazemos de nos mesmos. Aprecie-se e valorize a você mesmo e confie no seu poder pessoal, pois o mundo nos percebe em função de como nós nos percebemos.

Expanda seu poder pessoal

. .

      Hoje pode ser o dia mais importante da sua vida. A partir de agora, no dia de hoje, você pode começar a viver com intensidade seu sonho. Ele vai acontecer no futuro, eu sei, mas é hoje, agora, que você tem de fazer algo para encomendá-lo ao universo para que ele exista na sua vida em breve.

    Hoje é o dia que define seu futuro, e é também o momento de viver o presente. Você não nasce banqueiro, empresário ou milionário, você trabalha para isso acontecer um dia. E enquanto não acontece, você vive intensamente e com prazer, no único momento que você pode fazer isso: agora.

    A vida está no presente. Não é se lamentando do passado, nem vivendo com ansiedade pelo futuro que você vai sentir a vida em você. É vivendo o hoje.

A felicidade está em percorrer o caminho em harmonia com o objetivo e com o sonho que você quer alcançar. A etimologia da palavra "sucesso" traz com ela a ideia de movimento: *succedere*, em latim, significa acontecer, movimentar-se em direção a algo. O sucesso é, portanto, percorrer o caminho; não é o final da viagem.

Aproveite para experimentar o dia de hoje. Ontem não foi igual a hoje, e hoje não será igual a amanhã. Todo dia você tem a oportunidade de viver uma nova experiência, aprender uma lição ou alguma coisa que acrescente na sua vida e no seu dia. Preste atenção nisso e interprete cada dia como único. Não viva de forma linear, esteja sempre aberto para o novo.

Aproveite as oportunidades para viver hoje

O que acontece com a maioria das pessoas é que elas perdem muitas oportunidades de viver plenamente, por acreditar que têm sempre muito tempo à disposição, adiando suas decisões. As pessoas não pensam na morte, na impermanência da vida, e assim projetam os anseios para o futuro e param de investir no presente.

Enxergar a morte como uma possibilidade futura e distante, pensar que haverá tempo para viver o que queremos de verdade, para realizar os anseios da nossa alma, faz com que percamos o momento, a possibilidade de mudança e de evolução.

É como disse o filósofo Ken Wilber: "Este momento presente, que não conhece passado nem futuro, é sem fim, e o que é sem fim é eterno. Dessa maneira, a vida eterna pertence aos que vivem no presente".

Temos a capacidade de trazer o passado para o presente por meio de nossa memória. Podemos nos basear conscientemente em experiências ocorridas há mais ou menos tempo para nos guiar em nosso momento atual, mas o que é uma dádiva pode também se tornar um pesadelo. O passado nos pertence e serve de medida para o nosso presente, mas é preciso saber utilizá-lo produtivamente, e não lançar mão dele para fazer as grades de uma prisão.

Assim como o ser humano tem o passado à sua disposição, possui também a capacidade de visualizar determinado horizonte futuro em sua vida. Isso nos permite traçar um planejamento, uma estratégia para a concretização do que almejamos, mas, assim como há os que se prendem ao passado, há os que vivem esperando o futuro chegar.

O futuro, sem presente, fica sempre vago, meio distante, ao sabor de circunstâncias externas. Ao deixar suas ações para o futuro, condicionadas a um acontecimento hipotético, a pessoa perde de vista os inúmeros passos a serem dados e fica com uma expectativa ilusória de que aquilo vai se concretizar por si só.

Não basta torcer para que algo aconteça. É preciso ir criando a realidade desde já. E é assim que precisamos programar nosso cérebro, para aprender com o passado, viver o presente, para realizar o futuro.

Mesmo quando seguimos um rumo contrário da nossa verdade e natureza, podemos retomar o caminho da missão pessoal, do próprio projeto de vida que está diretamente ligado às nossas escolhas e decisões.

Buscar o autoconhecimento e olhar para dentro de si mesmo significa se permitir cumprir seu propósito, utilizar suas potencialidades e ocupar seu espaço no universo. De qualquer situação, seja ela de sucesso ou de derrota, podem-se extrair ensinamentos valiosos. Contudo, você precisa estar atento e receptivo.

Existe uma história que fala sobre isso:

> Um grande mestre, no seu leito de morte, foi visitado por seus discípulos que, assim que souberam da doença, alarmaram-se e rapidamente foram vê-lo. Um dos discípulos lembrou-se de um bolo que o mestre ancião apreciava muito. Saiu pela cidade para comprar o bolo e levá-lo ao mestre e por isso chegou depois dos demais.
>
> O velho mestre pôs-se a saborear o bolo sorrindo, enquanto os discípulos que cercavam seu leito pediam-lhe que dissesse qual era o segredo da vida. O mestre continuava a comer tranquilamente seu pedaço de bolo. Os discípulos insistiam, mas ele parecia não querer responder. Fazia apenas um comentário: "Esse bolo é realmente delicioso".
>
> Quanto mais perguntavam, mais ele repetia a mesma frase. Até que o mestre disse: "Não percebem que já respondi? O sentido da vida é como saborear este bolo. Tirar o máximo proveito de cada momento, de cada experiência".
>
> Sorriu, ficou alguns instantes em silêncio e continuou: "É não deixar nenhuma gota de suco na laranja da vida". O mestre continuou sorrindo e, suavemente, se foi.

Crie a mudança em você

Podemos conduzir nossa vida em direção aos nossos sonhos e objetivos. Para fazer isso, é preciso criar a mudança e sair dos velhos esquemas de comportamento automáticos. É possível transformar sua vida e suas limitações; para tanto, você precisa expandir seu poder pessoal.

Independentemente do momento ou da situação em que você se encontre, é sempre possível iniciar ou reiniciar o percurso. O desafio é perceber que a realidade está sendo criada neste instante por nós.

É como nos lembram com profunda simplicidade os Upanishades: "O que está dentro de nós está também fora. O que está fora de nós está também dentro". Em um de seus textos, Rumi, profeta sufi que viveu no século XIII, diz que nós somos o espelho e o rosto no espelho; nós somos a água fresca deliciosa e a jarra que a contém.

Estamos sempre criando a realidade e tendo a experiência dessa realidade, somos o artista e a ópera e podemos mudar e transformar a nossa vida no presente para lhe dar uma nova forma no futuro.

O que somos muda constantemente, de fora para dentro e de dentro para fora. Nos últimos anos, as pesquisas sobre a epigenética vêm mostrando como nossos genes interagem com o ambiente para nos fazer como somos.

O termo epigenética foi cunhado em 1942, pelo cientista Conrad Waddington, para descrever a ideia de que a experiência de um organismo pode fazer com que seus genes se comportem ou se expressem de uma forma diferente da que eles usualmente funcionam.

Ele mostrou que os modelos de DNA transmitidos pelos genes não são fixados no nascimento, ou seja, nossos genes sozinhos não definem nosso destino, mas as influências do ambiente, as experiências, o estresse, as emoções e a própria alimentação podem modificá-los, e essas modificações genéticas, conforme as pesquisas, podem ser transmitidas para as gerações futuras.

Isso confirma que não devemos só focalizar os modelos genéticos, mas também entender qual é a influência do ambiente na nossa evolução por meio da educação, e de nós mesmos, de nossa consciência, nossos pensamentos e ações.

Nossos genes, quando recebem os sinais adequados, como, por exemplo, o pensamento focalizado, são modificáveis, assim como as células de nosso cérebro. Ficando atentos aos nossos pensamentos, às nossas reações e às nossas ações, podemos intencionalmente criar a mudança em nós mesmos e na nossa vida e podemos nos distanciar das limitações biológicas para nos tornarmos seres humanos mais evoluídos e contribuir para nossa evolução e a das gerações futuras.

Precisamos, portanto, expandir nosso poder pessoal e nos preparar para a mudança. Sêneca disse: "A maioria dos homens começa a navegar e enfrenta o mar sem pensar em uma eventual tempestade".

Como nos ensina a neurociência, para mudar temos uma vantagem: a capacidade cerebral natural chamada de neuroplasticidade, que permite modificar, em qualquer idade, os circuitos neurais e criar novos, o que pode mudar nossos comportamentos, nossas crenças, quem nós somos e nossa realidade.

Diferentemente do que se acreditava até alguns anos, mesmo o cérebro adulto continua se modificando, formando novas conexões sinápticas (a sinapse é o ponto de contato, o ponto de comunicação entre os neurônios) e interrompendo outras. Como a configuração do nosso cérebro não é estática, os neurocientistas confirmam que o cérebro é adaptável e pode criar novos modelos de comportamento em resposta a novos estímulos, ele está sempre reconfigurando suas conexões neurais de acordo com pensamentos, aprendizados e experiências.

Mesmo que nem sempre consigamos mudar as circunstâncias imediatas e as interferências externas, a cada momento podemos mudar nosso olhar para os fatos, nossa percepção e compreensão e, consequentemente, nossas atitudes e experiências em relação à vida.

Se você não acredita que pode mudar tudo em sua vida, em sua maneira de ver o mundo, e realizar o que você deseja e sempre sonhou, é sua dúvida que limitará você. Conheço uma mulher maravilhosa, que teve coragem de transformar completamente sua vida. Se você a conhecesse antes, talvez até duvidasse que ela pudesse chegar aonde chegou.

Vamos chamá-la aqui de Antonia. Ela era uma empregada doméstica, que tinha quatro filhos e saía todos os dias para trabalhar para sustentar sua família. Aos 38 anos, ela foi abandonada pelo marido, que a deixou com as quatro crianças para serem criadas.

Antonia não havia estudado, nem chegou a completar o ginásio, o atual Ensino Fundamental. Ela se viu completamente perdida, sem saber o que fazer, a quem recorrer ou como solucionar as dificuldades que estavam diante de seus olhos. Ela e seus filhos estavam praticamente passando fome, pois as necessidades eram imensas.

No auge do desespero, quando já não via saída, observou seus filhos juntos sentados em frente de casa. Um pensamento passou pela cabeça dela: "Não posso deixar meus filhos passarem pelo que estou passando!

No dia seguinte, quando foi trabalhar, ela foi conversar com a patroa dela. "Dona Marisa, eu preciso e quero voltar a estudar. É o único jeito de eu ganhar mais. A senhora me ajuda com os estudos, e me deixa sair mais cedo para eu fazer um supletivo?".

A patroa, que era, aos olhos de Antonia, um anjo que Deus mandou para ela, estendeu as mãos e a ajudou a estudar e a trabalhar. Antonia fez o supletivo, depois fez o supletivo do Ensino Médio e resolveu que ia fazer faculdade.

Estudou muito e conseguiu passar em uma faculdade, e fez plantão durante dias em frente à secretaria para conseguir uma bolsa de estudos. Depois de muita insistência e de mostrar sua situação e sua vontade, a faculdade concedeu a ela uma bolsa integral para que ela estudasse Direito.

Conseguiu um estágio ainda durante a faculdade, e deixou o emprego de empregada doméstica para ir trabalhar em um escritório de advocacia, onde aprendeu muito. Seu salário foi melhorando, assim como sua vida. Antonia terminou o curso de direito e na sequência prestou concurso público para ser juíza e passou, e anos depois tornou-se a desembargadora que é hoje.

Quando você não vê saída nem perspectiva de mudança, uma visão pode mudar tudo, como aconteceu com Antonia, que não suportou ver seus filhos sofrendo e decidiu que isso não ia acontecer mais.

Ela poderia ficar se lamentando, mas resolveu partir para a ação. Ela poderia passar a vida toda na postura de vítima, abandonada e largada com quatro filhos, e autossabotar-se. Ela, porém, resolveu acreditar em seu poder pessoal e transformar a situação.

Todos nós podemos utilizar e colocar em prática o imensurável potencial que temos dentro de nós. Você precisa, para isso, redirecionar seu foco, suas escolhas, e abrir sua mente e seu coração para as ricas possibilidades que a vida oferece.

Para quem quiser fazer isso, mostrarei as sete fases da expansão do poder pessoal, que podem, assim como fez Antonia, mudar o que você vive e transformar em realidade o que para você era apenas sonho:

- Ouça a voz interior
- Reconheça seus sonhos e objetivos
- Tenha foco, atenção e concentração
- Exercite sua mente
- Transforme sua visão em ação
- Comprometa-se com a mudança
- Redecida

Ao parar de ser condescendente com suas fraquezas, ao abandonar as desculpas, você pode começar a transformar seus pontos fracos em fortes. Quando você se dispõe a isso, dá um passo para ressignificar sua vida e deixar o que não quer mais para trás. Estabeleça essa visão do que você quer fazer da sua vida, dê sentido e parta para a ação.

A seguir, vou falar das sete fases de expansão do poder pessoal para a mudança, ou seja, os passos para que, na prática, possamos transformar atitudes, treinar novas formas de pensar, de sentir, inovar a nossa maneira de agir e fortalecer uma mentalidade vencedora, capaz de fazer acontecer tudo o que quisermos na sua vida.

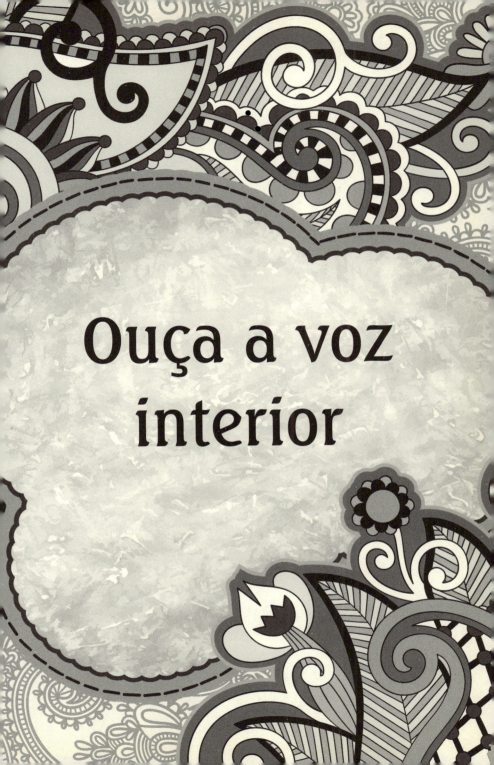
Ouça a voz interior

 A primeira fase da expansão de seu poder pessoal, que vai levá-lo diretamente a viver seus sonhos na prática, é aprender a ouvir a voz interior. Então, o que é essa voz?

Existe uma grande diferença entre diálogo interno e voz interior. Muitas vezes, não percebemos que nossas reações emocionais são influenciadas pelo nosso diálogo interno, aquele que nos acompanha com seus comentários críticos e negativos.

Ouvindo muito nosso diálogo interno, nós nos esquecemos de escutar nossa voz interior, que é acolhedora, sábia e nos dá um sentido, uma direção. Na verdade, estamos tão ocupados com o diálogo interno, e ele fala tão alto, que a voz interior fica inaudível.

A voz interior fala e transmite diretamente o que está na sua missão de vida, nos seus valores, na sua essência. Enquanto o diálogo interno é a voz da autocrítica, da autocobrança, da autoexigência, da autopunição e da pressa, a voz interior não critica, mas compreende; não cobra, mas orienta; não pune, mas mostra caminhos. É a própria voz da serenidade.

Em nossa mente, todos nós falamos sozinhos. Às vezes, porém, nem percebemos que estamos falando as mesmas coisas. Nosso "bate-boca interno" fala tão alto e tão rápido que não sabemos mais ouvir o que realmente queremos e necessitamos, e deixamos de ouvir nossa voz interior, que nos grita desesperadamente para se fazer ouvir.

Escute o que o silêncio tem a dizer

Ouvir nossa voz interior nada mais é que diminuir por um instante o ritmo das nossas atividades, ficar em silêncio e nos ouvir, tornar-nos mediadores da própria vida.

Se você busca alguém que o compreenda, que oriente e mostre alternativas com serenidade, você precisa prestar atenção à sua voz interior, pois ela pode acolhê-lo amorosamente.

Quando estamos ouvindo a nós mesmos, tudo parece mais acessível, mais compreensível. Os obstáculos não parecem intransponíveis. Ao deixarmos nossa criatividade se expandir, soluções aparecem.

Experimente ficar por um tempo em silêncio, observando e sentindo a si mesmo, diminuindo a atividade dos pensamentos e das ações. Veja o que acontece. Permaneça em silêncio e reserve um tempo para simplesmente *ser*.

No espaço interior do silêncio, nós nos acalmamos e permitimos que nossa alma, nossa essência, nos reencontre, pois na velocidade do dia a dia, dos pensamentos, das emoções, das ações, dos compromissos da realidade externa, nossa alma não consegue nos acompanhar.

No momento em que cada um de nós se dedica ao silêncio, a reencontrar a paz interior, o diálogo interno com as preocupações, as cobranças, as angústias, os julgamentos e os conflitos, exigências não podem nos alcançar. Nesse momento, é a voz interior que aparece, pois é seu espaço, e ela o conduzirá a sua unicidade e verdade.

É no silêncio que podemos ouvir nossos verdadeiros desejos.

Todas as palavras que você tem costume de repetir constantemente definem grande parte da sua vida e do seu destino. Você pode até se convencer de que são palavras inofensivas, de que não há consequências em pensar ou falar isso ou aquilo, mas, por meio dessas palavras, os acontecimentos da vida também são definidos.

Refletir sobre as consequências das atitudes tomadas é o melhor caminho para identificar o motivo das ações que outras pessoas tomam em relação a você, em qualquer tipo de situação.

As palavras que falamos a nós mesmos e aos outros são como sementes, penetram profundamente e fecundam o cérebro ao criar pensamentos e convicções. Elas constroem a realidade, cristalizam nossas emoções, modelam nossas atitudes, e tudo isso condiciona nossas decisões. Portanto, é muito importante saber e estar consciente daquilo que tornamos comum e de como fazemos isso por intermédio da nossa linguagem verbal e não verbal.

Em vez de falar da falta de tempo, tome atitudes que criem esse tempo. Precisamos estar dispostos a arregaçar as mangas para realizar nosso milagre, ou seja, pôr em prática nosso propósito. Parar de olhar para fora, como se as coisas importantes da vida estivessem no exterior, olhe para si mesmo com amor e aceitação.

Quem se envolve por inteiro passa a viver as experiências para além do óbvio, encontra resultados que não poderiam ser atingidos por aqueles que ficam apenas na superfície.

A paz interior não é um lugar aonde devemos chegar, mas é o lugar de onde precisamos partir para tomar as decisões da nossa vida, descobrindo o que realmente nosso coração deseja.

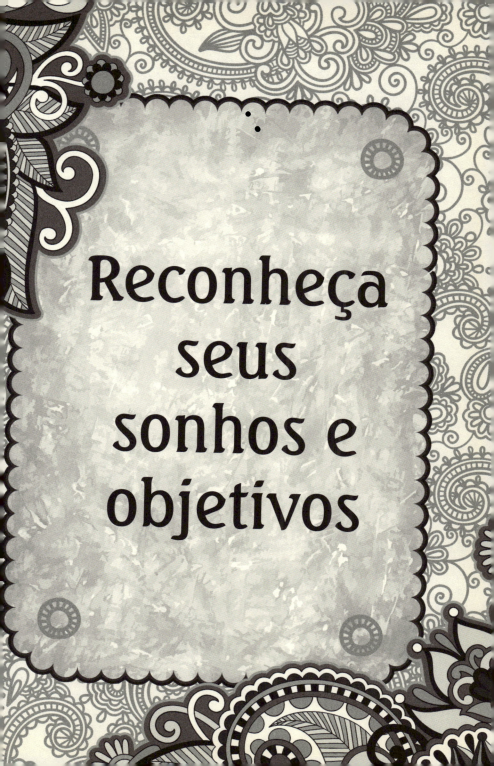
Reconheça seus sonhos e objetivos

Mudar comportamentos que foram estimulados e repetidos durante muito e muito tempo não é algo fácil. Às vezes, nós nos sentimos tão sem direção que não conseguimos nem pensar, quanto mais agir.

Napoleão Bonaparte dizia: "Um poder interior me empurra para uma meta. Enquanto ela não for alcançada, sou invulnerável, imbatível, mas, se não tiver mais metas, bastará uma mosca para derrubar-me".

Precisamos ter um "porque" forte para ir em direção ao novo, para viver a mudança como algo realmente importante e assim reescrever nossa história. Entretanto, para muitos de nós, parece que a "vontade" está adormecida em uma escravidão interior, até que nossa alma se rebela, cansada dessa vida artificial.

Como primeiro passo, precisamos encontrar dentro de nós uma razão para a mudança, uma motivação, um combustí-

vel para começar a jornada.
- Precisamos encontrar nossos sonhos e objetivos. São eles os maiores impulsionadores da vida. Como dizia Buda, nós temos o dever de descobrir nosso mundo e depois de nos entregar a ele, por inteiro, com todo o coração. Conversando com Robert Wong, consultor e um dos maiores *headhunters* de nosso país, ele me disse que desde o instante em que uma pessoa escolhe um curso superior, até o momento em que ela vai questionar qual a verdadeira vocação dela, podem-se passar 20 anos.

Imagine que as pessoas passam 20 anos trabalhando para conseguir seu sustento, sair da casa dos pais, ter um bom salário, comprar sua casa, seu carro e construir uma carreira. Depois de todos esses anos, a pessoa para e se pergunta: qual é a minha missão, qual a minha vocação, o que eu quero fazer com minha vida, com meu talento?

O processo de estabelecer e criar objetivos representa um instrumento de crescimento pessoal e de desenvolvimento das próprias potencialidades, pois estimula o olhar para si mesmo. Saber quais são os reais pontos fracos e as possíveis situações desfavoráveis permite a inversão do quadro e a atenção aos próprios desejos e sonhos.

Contudo, há uma grande diferença entre querer ir em direção ao resultado e pensar, sentir e viver a partir do resultado. Em vez de apenas irmos em direção ao objetivo, precisamos já estar dentro do resultado, dentro da experiência de realizá-lo.

Uma série de estudos e pesquisas da física quântica demonstrou que a observação influencia a realidade, e que a realidade muda em função do nosso foco. Isso quer dizer que, quanto mais focados estamos no resultado, maior é a mudança, confirmando assim a forte influência que nós temos na criação da realidade que vivemos.

Pensar a partir da imagem do resultado, entrar na imagem, é muito poderoso, causa muito mais impacto dentro de nós mesmos, e nos faz caminhar mais rapidamente para aquilo que queremos.

Como dizia Einstein, "a imaginação é a força da criação". Portanto, quando direcionamos nosso pensamento e nossa atenção aos nossos sonhos, como se já os tivéssemos realizado, estamos também preparando e criando dentro de nós as condições que permitirão a realização desse sonho. É como se preparássemos o terreno para o plantio, arando-o, adubando-o, para que o cultivo seja mais fértil.

Quando vivemos com a sensação de realização do objetivo, com a certeza de que atingiremos nossos propósitos, a ausência de dúvidas nos permite agir de maneira autêntica, forte e determinada, contribuindo para a construção da autoestima e da autoconfiança mais sólidas. Esse comportamento para com nós mesmos faz com que amemos cada vez mais quem somos e o que fazemos.

Estabeleça uma visão e uma missão

Estabelecer uma visão, um objetivo, definir seu projeto de vida é uma ferramenta poderosa que está em suas mãos e você pode usá-la da maneira que desejar. Muitas vezes, é preciso fazer ajustes no objetivo definido, pois ele pode estar superestimado ou subestimado.

A superestimação leva à frustração, à paralisia, ao desânimo. É como se você decidisse percorrer 600 quilômetros de carro em três horas. O limite de velocidade e a potência do carro não vão possibilitar que você faça o percurso no tempo predeterminado. O resultado, sem dúvida, não vai ser o esperado e pode fazer com que você abandone outras metas plenamente atingíveis.

Se você subestimar seus objetivos, a tendência é não valorizá-los. A partir desse momento, você passa a não se importar muito com ele, porque vai achar que no fim dará certo, porque é fácil.

Estabelecer a visão é seguir o caminho para alcançar seu objetivo real; é saber quais são os talentos necessários para chegar aonde quer, é determinar em que lugar deseja estar e, a partir desse momento, agir de acordo com o que você definiu para si mesmo como um caminho a ser percorrido. Todos os seus atos, os seus pensamentos e o seu foco é que farão com que você não se perca no meio do caminho.

Isso funciona em todas as esferas, inclusive na profissional. Sem visão, uma empresa perde, patina, fica sem rumo. Sem uma missão, ela é como um barco à deriva, que não conhece sua razão de ser. Isto é, sem uma missão clara a tendência da empresa é quebrar, ou seja, falir. Levando tudo isso em consideração, responda para você mesmo, qual é a sua missão? Qual é o seu projeto de vida? Qual é sua vocação, o que você está fazendo com seu talento, o que você está sendo na sua vida?

Buscar o entendimento de qual é a sua missão, o que fazer da vida e do seu talento é um processo de autoconhecimento, e o estabelecimento consciente de suas ações para que você atinja a sua meta é que vai fazer a diferença entre conseguir ou não.

O autoconhecimento é a raiz da autorrealização. Precisamos deixar a raiz forte para que a árvore se expanda e cresça nos ramos e nos frutos. Esse é o desafio! Fortalecer o autoconhecimento, estabelecer metas, alinhar as ações com aquilo que se planejou para si mesmo.

Certa vez, um velho russo que estava perto da morte, chamou os filhos e disse-lhes: "Aquele que conseguir caminhar em uma linha reta no campo coberto de neve herdará as minhas terras". O primeiro filho caminhou de maneira determinada e, de vez em quando, olhava para trás a fim de ver como estava indo e fazer algumas modificações. O segundo filho, vendo isso, decidiu que podia fazer ainda melhor e começou a caminhar de trás para a frente, pois assim podia ver a linha que estava fazendo na neve. O terceiro filho escolheu uma árvore como objetivo, não tirou os olhos dela e conseguiu traçar na neve uma linha perfeitamente reta.

Enquanto nos desviamos dos objetivos, perdemos tempo precioso. Ter em mente o que se deseja, estar inteiro e entregue àquilo que escolhemos é talvez a coisa mais importante para a realização do desejo.

Quando o aperto vem, quando a dificuldade está diante de nós, aquele que tem o sonho, a visão, sabe que a situação é transitória. Por isso, cada dificuldade enfrentada fortalece ainda mais a visão. Desenhe o que você quer, não deixe a vida ficar levando você, descubra sua missão.

Ter um objetivo faz sua vida valer a pena. Ouvi de uma senhora recentemente: "Quando entrei no programa de voluntários para crianças portadoras de câncer, achei que ia salvar vidas. No entanto, elas é que salvaram minha vida. Meus dias eram tão fúteis, superficiais. Agora vejo que cada pequena coisa é muito importante, cada gesto, carinho e palavra parecem fundamentais, e em vez de ficar cansada, fico cada vez mais energizada quando estou lá".

Quando alguém está vivendo o que quer, quando descobre sua missão e a coloca em prática, renova-se. Betinho, Madre Teresa de Calcutá, Irmã Dulce..., que obras grandiosas cada um deles fez! Não tinham nem dinheiro e criaram um movimento mundial. Na verdade, nem sempre as coisas são norteadas pelo dinheiro, mas pela paixão, pelo sentimento de que sua visão é tão nítida para tantas pessoas, que fica fácil para elas verem e se alinharem ao que você vê.

Não perca seu sonho de vista e fique atento às diversas oportunidades que existem ao redor para torná-lo realidade. Se você não realizar sua missão, ninguém o fará por você. Ninguém pode substituir ninguém, pois somos únicos, com uma vida única, incomparável e inimitável.

Tenha foco, atenção e concentração

As mudanças nascem, antes de tudo, do querer. O querer precisa ser alimentado por sua disposição para enfrentar o desconforto de viver.

Estar focado no seu objetivo, no seu sonho, na sua meta permite a mudança, a transformação e a criação da nova realidade que você escolheu para viver. Estar atento significa estar consciente de si e do que está acontecendo ao redor.

Para criar conexões fortes em nosso cérebro, precisamos utilizar a atenção direcionada, estar focados naquilo que estamos fazendo no momento presente. Assim, nossos neurônios criam conexões e lembranças duradouras. A atenção é muito importante, mais do que costumeiramente acreditamos que é:

Um discípulo perguntou: "Mestre, o que preciso fazer para aprender a arte da espada?". O mestre respondeu: "Precisa ficar atento". "Só isso?", questionou o discípulo. "Não, você precisa ficar atento e mais atento". "É mesmo só isso?". "Não. Você precisa ficar atento, mais atento e ainda mais atento."

Esteja atento, treine sua atenção direcionada. Observe a si mesmo com atenção, os seus defeitos e as suas qualidades, a sua verdade. Reconhecer aquilo que queremos mudar e identificar o comportamento automático que nos limita é um passo muito importante para atingirmos nossas metas. A partir daí, fica muito fácil praticar a auto-observação da realidade que estamos vivendo.

Quando você tem alguma dificuldade para atingir sua meta, precisa colocar-se diante de seu ponto limitante e enfrentá-lo. Não é possível dar um salto qualitativo e contornar seu ponto fraco.

É muito importante assumir um compromisso amoroso consigo mesmo, de transformar seu ponto fraco em ponto forte, deixando de usá-lo como justificativa para as coisas que não funcionam.

Podemos passar uma vida inteira usando as mesmas desculpas: não sou bom para isso, não sou bom para aquilo. Entretanto, tendo uma consciência e percebendo quais são seus pontos fracos e comprometendo-se a transformá-los em pontos fortes, você conseguirá começar a mudar a realidade em que vive.

Tenho um exemplo até divertido em minha vida em que aceitei o desafio e me comprometi a transformar um ponto fraco meu em um ponto forte. Um dia, fui passar o carnaval na Bahia com minha família. Fomos assistir aos trios elétricos no carnaval de rua, e todos estavam se divertindo, dançando, e eu, de fora, em vez de me divertir e cair na festa, fiquei de lado com o pensamento em minha cabeça: "Samba não é o meu forte...".

E me lembrei que tive várias chances de aprender e não aprendi. Fui saindo, indo embora, desistindo de participar daquela festa, até que encontrei uma amiga que me fez a pergunta fatídica: "E aí, Eduardo, você não samba?". Minha vontade era fulminar a moça, mas olhei para ela com aquele olhar sereno, tranquilo e lhe disse: "Você já viu japonês sambar? Somos bons em artes marciais, rituais xintoístas, *sushi*, *sashimi*, *yakissoba*... Esse negócio de samba, não é com a minha raça...".

Ela riu, e eu saí, pensando que, além de tudo, eu tenho as pernas tortas. Japonês com perna torta sambando? Esquece. Nessa hora, porém, eu me dei conta de uma coisa: havia mais de quarenta anos eu vinha usando a mesma desculpa, que já estava velha, embolorada, carcomida pelo tempo, por mais que eu falasse com um ar de "ineditismo"!

E pensei que eu tinha duas opções: ou começar a inventar uma desculpa nova ("Ah, sabe o que é? Eu estava jogando futebol, e torci meu tornozelo...") ou então me arriscar no negócio de aprender a sambar.

Coincidentemente, sempre há coincidências na vida, eu estava recebendo naqueles dias um grupo de italianos, e alguns deles queriam aprender a sambar. Então contratei um professor para dar aulas durante uma hora todos os dias, e claro que eu entrei nas aulas também.

No primeiro dia, o professor falou: "Eduardo, é simples: dois pulinhos para cá, e dois pulinhos para lá". E lá fomos nós, eu e os italianos. Eu vi que uma das moças aumentava o tamanho do pulo conforme o ritmo aumentava. Olhei para ela e expliquei: "Olha, no samba o passo é mais apertadinho, dê pulos menores". E ela respondeu: "Eduardo, como você conhece de samba!". Com o passar dos dias, eu fui me dando conta que o samba é de fato simples. A gente não tem de ficar pulando, o que se mexe são só os pés.

Depois de pegar o ritmo com os pés, colocamos as pernas, depois os braços, depois um rebolado, uma ginga, a cabeça, e quando menos percebemos, estamos mesmo sambando! E depois, consegue-se até sofisticar e dançar com jeito de quem sabe.

Hoje, aquele ponto fraco e limitante é um ponto forte, até um diferencial, e eu sambo por prazer e diversão. E sempre que ouço samba, lembro-me de que é possível fazer isso, e vencer uma dificuldade, em todas as áreas da vida.

Conscientize-se do que acontece com você

De acordo com o filósofo Wilhelm Reich, "É possível você romper as grades de uma prisão, desde que primeiro admita que está dentro dela". Se você se percebe dentro dessas grades, você pode buscar uma alternativa para sair delas. Por isso, estar atento às reações automáticas é extremamente vital para poder redecidir escolhas. É a força da atenção agindo mais uma vez.

Para mudar as reações que temos e que acontecem automaticamente, ou seja, para modificar os condicionamentos instalados, precisamos torná-los conscientes, observá-los, parar um instante e perceber o que está acontecendo conosco.

Quando emoções negativas são disparadas por estímulos, quando sentimentos como raiva, angústia e medo começam a ser experimentados, eles geram reações fisiológicas no corpo, como todos já sabemos e vivenciamos. Como nos ensina a neuroanatomista Jill Bolte Taylor, essas reações fisiológicas demoram 90 segundos para se manifestar em nosso corpo. Em seguida, as reações químicas no corpo ligadas a essa emoção se dissolvem e terminam como reação automática.

Precisamos aprender a deixar passar os 90 segundos de reação bioquímica. Após esse tempo, se a emoção limitante ainda se mantiver, é porque decidimos alimentá-la ou continuar com ela, repensando os mesmos pensamentos e as mesmas imagens mentais ou, muitas vezes, exagerando-os, tornando-os piores. Existe um conto zen que mostra essas reações:

> Um dia, um samurai perguntou a um mestre qual era a diferença entre o céu e o inferno.

Sem lhe responder, o mestre começou a insultá-lo e a ofendê-lo pesadamente. O samurai ficou com muita raiva e lançou sua espada para lhe cortar a cabeça. "Este é o inferno" disse o mestre, antes que o samurai agisse. O guerreiro, tocado pelas palavras do mestre, acalmou-se e guardou a espada. E depois de ter feito isso, o mestre completou: "E esse é o céu".

O inferno e o paraíso dependem de nós. Faça um teste na próxima vez que uma emoção negativa se apropriar de você. Deixe a sensação se manifestar em você por mais ou menos 90 segundos e depois modifique o pensamento, ative outros esquemas mentais e direcione sua atenção ou ação a algo diferente. Veja e sinta o que acontece.

Uma mente centrada, atenta e focada é um instrumento poderoso para criar os resultados escolhidos. Por isso, concentre-se no que você quer, e não no que não quer. Regue as flores do seu jardim e não as ervas daninhas.

Comprometer-se consigo mesmo é uma das primeiras atitudes a ser tomadas para atingir o objetivo que você traçou para a própria vida. Sem comprometimento, nada vai em frente.

E não basta apenas tentar. Quem apenas tenta, não assume o compromisso de realizar. Há muitas pessoas tentando ser felizes, tentando realizar seus sonhos, tentando ver seus objetivos concretizados. No entanto, nada funciona se você não tiver foco naquilo que quer. O que nos tira energia e força é tentar fazer, tentar mudar, tentar ser feliz.

Você já prestou atenção a um corredor de maratona? Ele sabe que tem de percorrer 42.195 quilômetros, que seus concorrentes são tão bem preparados quanto ele. Então, o que ele faz: traça sua meta, sua estratégia, e dirige seu foco para o objetivo que é chegar em primeiro lugar.

O corredor controla a velocidade das passadas, a respiração, a reposição de líquidos no organismo e corre o tempo todo concentrado em si mesmo e no que precisa fazer para chegar lá! Por mais que o público grite, aplauda, motive, ele não olha para o lado. Apenas o fato de girar a cabeça certamente já faria com que ele perdesse segundos preciosos e tiraria seu foco de cumprir suas metas para atingir o objetivo: ganhar a prova.

Para as coisas se realizarem, foque

Muitas vezes, um dos fatores principais para que as coisas não aconteçam para as pessoas é porque elas perderam o foco do que era realmente importante. Ao estabelecer um caminho a ser percorrido, elas perdem-se em vários desvios, deixam de seguir seu traçado, acabam por olhar para os lados, para os outros, e não para si mesmas e para aquilo que queriam.

Quando a pessoa decide trilhar seu caminho pessoal, é importante estar atenta para saber escolhê-lo corretamente e manter-se nele. Em qualquer área da sua vida, seja profissional, seja pessoal, a diferença que vai fazer entre "realizar" e "não realizar" é como você vai estabelecer seu foco.

Algumas pessoas se focam não naquilo que querem, mas naquilo que não querem. Esse comportamento faz com que elas se enfraqueçam e canalizem energias para outro lado que não o dos seus objetivos, dos seus sonhos. O resultado é fruto de onde você vai colocar sua atenção, de onde você está focado. Pense em termos de possibilidades e não de impossibilidades.

O foco é como a água que corre em uma mangueira de aguar o jardim. A água sai da torneira e vai direto para a outra ponta da mangueira. Perfeito! Assim é possível regar as plantas, lavar a varanda ou fazer qualquer outra coisa que você queira. Imagine então uma mangueira que esteja com diversos furos ao longo dela, com água espirrando e escapando por todos os lados. Fatalmente, a água não chegará com força suficiente para você fazer aquilo que queria.

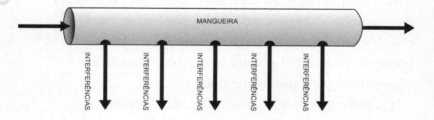

Precisamos sempre lembrar que as interferências no caminho podem acontecer, pois muitas vezes a vida nos submete a duras provações. Contudo, é importante lidar com as interferências e não perder de vista o alvo, sem perder energia e sem fazer desvios.

Quando as pessoas não focam o seu objetivo, vão gastar energia de todas as maneiras, pois farão esforços que se provarão inúteis, uma vez que não estão sendo direcionados para conseguir chegar aonde querem.

Um bom exemplo que conheço é de um executivo da área de transporte. Ele tem uma das maiores transportadoras da área do porto de Itajaí. Um dia, ele fechou um contrato com uma grande empresa petrolífera para fazer todo o transporte da companhia, e para isso seriam necessários 150 caminhões de carga.

O contrato era fantástico e faria sua empresa ficar conhecida e atrair outros grandes contratos. Havia, no entanto, um pequeno problema: ele não tinha os 150 caminhões necessários. Justamente no dia em que ele assinou esse contrato, eu estava na empresa para fazer uma palestra. E ele me chamou e disse: "Eduardo, você não sabe! Eu fechei um contrato para 150 caminhões! São 150, é bastante dinheiro!! Contudo, senti em sua voz que algo não estava bom.

Perguntei: "Mas o que foi? Não está feliz?". "Sim, estou, mas há um pequeno problema: nós não temos 150 caminhões para atender". E eu, espantado, perguntei: "Mas como você fecha um contrato e não tem como cumprir?". Aí ele falou: "Calma, vem comigo". Nós entramos na sala de reunião, e lá estavam todos os gerentes, em um clima de funeral.

Então ele disse para a equipe: "Vocês estão sabendo do contrato? Vocês estão sabendo que eu já assinei?". E todos:

"Sim!". E aí ele disse: "O que vocês acham?". A equipe começou a se lamentar, dizendo que não ia funcionar, que não seria possível atender etc.

Então, ele deu um tapa na mesa, fez o pessoal se calar, e olhou bem fundo para cada um deles dizendo: "Gente, eu não marquei esta reunião para vocês me falarem o que eu já sei, pois que não tínhamos os caminhões eu já sabia desde a hora em que assinei os papéis. Agora, no Brasil, neste Brasil gigante de meu Deus, deve haver alguns caminhõezinhos sobrando por aí. Então, eu marquei essa reunião só para saber de vocês de onde virão nossos 150 caminhões!".

Se você coloca a atenção nas adversidades, nos problemas, nas dificuldades, o resultado da sua empresa será bem previsível. Lembre-se sempre disso: o resultado é fruto de onde você coloca a atenção. Há pessoas que vão passar a vida inteira se lamentando, mas sem ver onde estão as respostas, as soluções e as alternativas.

Que resultado e que realidade você quer construir? O que você precisa fazer? É o que sempre digo: você, acima de tudo, é um criador de contextos. Quais são os contextos necessários para que você consiga criar essa realidade?

Em nenhum momento, os funcionários daquele empresário pensaram de maneira positiva em estratégias para conseguir atender a um contrato tão importante para o crescimento da empresa. Focaram o "não", "não dá", "não conseguiremos". Assim, aquela bexiga de entusiasmo começou a murchar, e logicamente o pensamento foi se voltando para o negativo, para o empecilho.

Lembre-se: nossos pés nos levam para a frente, mas é nossa cabeça que os comanda. Podemos seguir firmes para concretizar nossas metas, ou tropeçar no meio do caminho. Tropeços fazem parte do processo. Resta-nos levantar, aceitar as críticas, aprender com os erros, ser humilde e assumir que muitas vezes precisamos de ajuda.

Focar a solução: essa é a frase-chave.

Uma maneira de expandir seu poder pessoal é ampliar suas redes neurais. Diferentemente do que se acreditava até um tempo atrás, nosso cérebro não é estático nem rígido; ele muda. As células cerebrais, os neurônios, são constantemente remodelados e reorganizados por nossos pensamentos e nossas experiências.

Os neurônios se conectam entre si por meio de impulsos elétricos e químicos e se comunicam pelas sinapses, formando ligações permanentes, porém modificáveis, que são chamadas de redes neurais.

Mudar e expandir nossas redes neurais significa algo muito importante: se tivermos sempre os mesmos pensamentos, eles se tornarão mais fortes em nossas redes neurais, ou seja, quanto mais repetirmos os mesmos pensamentos sobre nós mesmos e sobre nossa vida, estaremos fortalecendo-os ao deixar mais "fortes" as redes neurais que os originam.

Por exemplo: se penso que sou tímido, ajo como tímido, sinto-me como tímido. Nesse processo, começo a me autodefinir como tímido, e as redes neurais que definem isso se fortalecem cada vez que penso, ajo ou me sinto assim. Então, a cada comportamento, o cérebro se "lembra" de agir dessa maneira tímida.

Isso pode apresentar um lado negativo, fazendo com que continuemos a ter pensamentos automáticos e limitantes, não abrindo espaço para aumentar nossa rede neural e para mudar nosso modo de viver. Desse modo, continuaremos a ser prisioneiros dos nossos hábitos e dos pensamentos repetitivos, não dando nenhuma chance à mudança, a olhar de forma diferente para a mesma coisa, a ver alternativas.

Porém, é possível modificar esse padrão. É preciso ter em mente que somos responsáveis por nossos hábitos, que podemos mudá-los, que somos capazes de pensar de forma diferente, de interromper circuitos fixos de pensamentos fortalecidos pela repetição. Quando o programa dos pensamentos limitantes está funcionando, ele inicia respostas de comportamento automáticas. Ou seja, não precisamos nem pensar, pois as reações já são programadas, baseadas no passado e em experiências repetitivas.

É possível modificar nosso cérebro

Às vezes nos perguntamos por que estamos reagindo da mesma maneira e quase sem perceber. O fato é que estimulamos sempre os mesmos pensamentos, pois é algo familiar e confortável, não exige esforço. É um caminho já conhecido, mesmo que não seja satisfatório. A mudança é desconfortável, ela nos tira da zona de conforto e nos coloca inicialmente em um estado de desequilíbrio, chacoalhando nossos alicerces. Esse desequilíbrio é o responsável por iniciarmos uma mudança. Muitas vezes, porém, voltamos atrás, para o espaço familiar, seguro e conhecido.

Exercitar nossa mente significa visualizar o que queremos, é o real momento da criação de novos circuitos neurais e, consequentemente, de novos comportamentos.

Na visualização, vemos como queremos agir, sentir e ser. Utilizar nossa imaginação cria novas possibilidades, assim, à medida que criamos novas redes neurais por meio dos nossos pensamentos e das imagens mentais, eliminamos as antigas.

Como não podemos criar algo que não conseguimos imaginar, precisamos exercitar nossa mente a cada dia em direção ao que queremos ser e viver.

Mudar significa eliminar hábitos antigos e limitantes. Como dizia Aristóteles, "nós somos aquilo que repetidamente fazemos. A excelência não é uma ação, mas um hábito".

Com o tempo e a repetição, as ações se tornam coerentes com os pensamentos. Precisamos, portanto, *pensar* diferente, para *fazer* diferente e poder *sentir* diferente e *ser* diferente. Podemos dizer que nossa mente funciona como um simulador e com nossos pensamentos fazemos as simulações. Exercitando nossa mente nas imagens mentais que queremos, modelamos e reorganizamos nossas células cerebrais como se estivéssemos fazendo realmente aquelas ações.

Assumir o comando de si mesmo faz com que você seja responsável por sua vida. Analisar quais são seus pontos fracos, transformá-los e não deixar que eles comandem sua vida é o primeiro passo.

Adquirir novas maneiras de pensar pode ser um pouco demorado, porque você está acostumado a determinado conjunto de pensamentos, seu cérebro já tem uma maneira de reconhecer as situações e de funcionar de acordo com elas, mas fazer essa correção em seus mapas mentais vai ser muito útil em sua vida.

É preciso praticar para fazer o cérebro desaprender as linhas de raciocínio já adquiridas, assimiladas desde a infância, mas é possível reconhecer seus pontos fracos e trabalhá-los mentalmente, para vencer suas limitações e torná-los pontos fortes. Saiba que ninguém mais, além de você, pode penetrar em sua mente e conhecer seus pensamentos tais como os vivencia.

Talvez nossos pontos fracos sejam muletas que arrumamos na vida para poder seguir adiante com comodidade, mesmo que com sofrimento. Vai depender de você ser bem-sucedido ou não na transformação de seus pontos fracos.

Pense diferente

As pessoas que alcançaram sucesso e realizaram grandes feitos simplesmente pensaram de maneira diferente e tomaram uma atitude em relação a seus pontos fracos e suas limitações.

Só para citar alguns exemplos da História, Demóstenes, o grande orador grego, tinha uma dicção péssima. Então, ele começou a fazer exercícios, falando com a boca cheia de pedras. Ele fez isso durante várias horas por dia, com o objetivo de melhorar a dicção depois que tirasse as pedras da boca. O resultado foi que ele se tornou um dos maiores oradores de todos os tempos.

Napoleão Bonaparte não se deixou intimidar por sua baixa estatura e liderou um exército através da Europa. Dá para acreditar que Leonardo da Vinci, Winston Churchill e Agatha Christie tinham dislexia? Parece incrível, mas é verdade.

Aceitar os pontos fracos, sem tentar mudá-los, é acomodar-se. Confie em si mesmo, valorize-se, comece por concentrar-se em seus pontos fortes. Quanto maior for sua autoconfiança, quanto mais você se valorizar, seja como pessoa seja como profissional, mais facilmente vencerá suas limitações e superará aqueles "pontos fracos" que você acha que podem estar atrapalhando-o e impedindo-o de realizar algo mais.

Lembre-se de que seu pensamento é um agente de força muito grande: Henry Ford foi o precursor da montagem em série em sua fábrica de automóveis. Ele apregoava, para quem quisesse ouvir, que não sabia muitas coisas, mas a tática que usava para superar suas deficiências era ir em busca das pessoas que pudessem suprir seus pontos fracos, e assim se tornar mais forte. Para ele, o pensamento era o comandante de sua vida.

Há algo que chamo de desafio de viver em alta *performance,* que significa estar o tempo todo no estado de máximo desempenho. Na Índia, os mestres dizem que esse é o estado consciente, acordado, esperto, que rompe aquele estado de sonolência em que você não percebe nem faz nada com energia e empenho.

Por um momento sou o criador da realidade que estou vivendo. E aí as perguntas são: para viver essa realidade o que tenho de aprender? O que tenho de transformar na minha vida? Na vida sempre nos deparamos com situações em que temos de fazer escolhas. Saiba que o importante é conseguir identificar o cenário e analisar quais medidas deverão ser tomadas para atingir o resultado desejado, mesmo com todos os obstáculos que surgirão. Seja essa pessoa que faz as escolhas e construa um futuro diferente.

Transforme sua visão em ação

 Não adianta visualizar uma situação diferente se você não colocar os conceitos em ação, ou seja, se não os executar, não os colocar em prática. Existe um momento na vida que eu chamo de "a hora da virada". É aquele momento em que tudo parecia estar perdido, e a situação se reverteu, resolveu-se.

É bem provável que a maioria das pessoas já tenham vivido isso, já tenha tido "viradas" na vida. O momento mágico da vida é quando paramos de olhar para trás e começamos a olhar para dentro. E, lá dentro, tomamos a decisão de romper com aquilo que nos limita na caminhada pela vida. É nesse momento que olhamos para o futuro com orgulho e sabemos que é exatamente para lá que estamos indo.

É quando nos damos conta de que, se realmente desejarmos, seremos maiores que as adversidades. Seremos capazes de fazer coisas incríveis, indescritíveis.

Transformar visão em ação é começar a definir para aonde se vai, perguntando qual é bagagem que se precisa ter, ou seja, quais são as ações que precisam ser feitas e os passos necessários para transformar em realidade o que se escolheu. Para isso, são necessárias duas características: ousadia e coragem.

Enfrente seus medos

Coragem e ousadia não significam ausência de medo. Ao contrário: posso ser ousado e corajoso, mas ter medo. Esses dois aspectos nascem de uma energia que se movimenta dentro de nós para enfrentarmos nossos medos. Por isso, quando falo em transformar visão em ação, inevitavelmente isso passa por enfrentar seus medos.

Na maioria das vezes, não conseguimos fazê-lo sozinhos. Por vezes, ter uma atitude ousada significa buscar em alguém ou em algum lugar o que estou precisando para me fortalecer, para enfrentar meus medos.

Para transformar visão em ação, para pôr em prática os conceitos que modificarão sua realidade, você precisa de bastante ousadia e coragem. Precisa também deixar o orgulho de lado e pedir ajuda e apoio quando for necessário.

O rumo da vida está em nossas mãos. Já diziam os chineses: "Quem não escolhe tem um destino, quem escolhe tem um futuro". Somos nós que definimos nosso futuro, mesmo que as interferências externas possam nos influenciar. Por isso, podemos viver com intensidade, paixão, comprometimento, seguros de nossa dignidade e de nosso merecimento, confiando em nós mesmos e reconhecendo que somos espelhos da realidade.

Perguntou-se certa vez a Pablo Casals, o grande violoncelista: "Por que, aos 85 anos, o senhor continua a praticar cinco horas por dia?". Ele respondeu: "Porque acho que estou melhorando". Além de exercitar a capacidade de mudar o pensamento e as imagens mentais, é muito importante colocar em prática aquilo que desejamos, pois, por meio da repetição, o novo comportamento se tornará espontâneo e natural.

Parafraseando um ensinamento de Buda, não acredite em nada só por ouvir, não acredite em nada só porque muitos falam, mas só depois da sua observação, da sua análise, da aceitação e depois de viver e experimentar na prática.

Ninguém pode lhe dar a verdade. Quando você encontrá-la, ela será (e terá sido desde sempre) somente sua. Algumas pessoas lhe fornecem pistas, ensinam métodos, indicam caminhos, mas a verdade mesmo é algo que somente você experimenta por um instante. Ninguém pode viver sua vida por você.

A verdade não será verdade até que a tenhamos vivenciado pessoalmente. O conhecimento se torna sabedoria quando passa pela experiência pessoal.

Se você quer conseguir realizar seus sonhos precisa se perguntar o que precisa fazer para chegar lá, quais são os conhecimentos que ainda precisa adquirir e como vai fazer isso.

Transformar esse desejo em realidade requer esforço, ousadia, determinação e coragem. Você precisa mais do que querer e acreditar, precisa fazer acontecer.

Ter a determinação de subir as ladeiras da vida, enfrentar as escadas tortuosas, molhar os pés na água da chuva ou empoeirá-los com a terra seca é o que vai fazer com que você esteja em um eterno agir para buscar seus sonhos.

Se precisar, retroceda; se for necessário, diminua o passo. No entanto, nunca deixe de buscar, pois somente suas ações, sua perseverança, sua flexibilidade é que vão permitir que você realize seus sonhos.

Comece a substituir gradualmente seus hábitos antigos por novos. Comece com mudanças pequenas, simples, que você considere fáceis de ser realizadas, e lembre-se de que a repetição é o segredo da transformação duradoura.

É como disse Goethe: "Para tudo que você faça ou sonhe começar a fazer, não hesite. A ousadia tem genialidade, magia e poder". Dê o primeiro passo, faça o que é necessário fazer. Ao assumir um compromisso verdadeiro com o que você deseja viver e ter atitudes de acordo com seus objetivos, pode ter certeza de que você transformará seu chão em mola: a cada passo dado, o impulso será maior!

Comprometa-se com a mudança

 Mudar exige comprometimento e vontade. É necessário que cada um de nós encontre uma razão para fazer a mudança e assuma a responsabilidade, que é a capacidade decidir como reagir a estímulos externos, para não ficar preso na reatividade conhecida e nos programas de comportamentos que nos fazem viver no "piloto automático".

Leo Buscaglia diz uma frase interessante: "Podemos fazer o que quisermos com a nossa vida. Podemos aceitar o que vem com uma triste espécie de resignação ou nos rebelar contra o que nos acontece, com paixão. Podemos ver a vida como regozijo ou submissão, como causa de alegria ou de desânimo, de êxtase ou de vazio. Mas a escolha é nossa".

A transformação acontece quando abandonamos a ideia de que o problema está em algum lugar lá fora ou em alguém.

Com a aceitação da responsabilidade de utilizar nosso poder pessoal para criar nossos objetivos, tornamo-nos capazes de transformar os pontos fracos em fortes.

Lembre-se da importância da repetição, seja em sua mente por meio das imagens mentais, seja em suas ações. Precisamos fortalecer os novos comportamentos. A mudança exige um ato intencional voluntário, necessita da sua vontade, da sua concentração e da sua atenção.

Existe uma mensagem do mestre indiano Osho, falecido em 1990, que diz: "Se você acredita que a beleza do pôr do sol é uma causa da felicidade, você se engana. A beleza do pôr do sol pode ter criado a situação, mas não é a causa. A alegria vem de dentro do seu ser. A felicidade surge dentro de cada um de nós e vem à tona em condições propícias".

Coloque-se em um degrau superior às limitações e às dificuldades que dominam sua vida e que você deseja mudar. Lembre-se de que somos superiores ao ambiente e ao contexto, que podemos modificá-los e transformá-los por meio de nossa observação, compreensão e intervenção.

É bastante comum encontrar pessoas que assumiram postura de vítimas perante a vida. Para elas, nada dá certo, elas estão sempre se sentindo inferiorizadas e sempre externando essa condição. Para a "vítima", a culpa é sempre dos outros. A vítima não tem o controle da situação nas mãos, pois são os outros que estão com as rédeas.

É preciso abandonar essa postura, e assumir a responsabilidade e o controle por tudo o que acontece com você. É como ensina o ditado chinês: "Você não pode impedir que os pássaros da preocupação e da tensão voem ao redor da sua cabeça. Que eles façam ninhos em seus cabelos, isso você pode impedir".

A vida tem altos e baixos, e precisamos aprender a lidar com isso. Não há vítimas ou culpados, apenas a responsabilidade de lutar por nossos objetivos e tomar a vida de volta para nós. Essa é atitude de quem trilha a estrada que levará aos seus sonhos. São nossas decisões, são nossas escolhas e nossas atitudes que vão determinar o rumo dos acontecimentos.

Seja o protagonista

Assumir a postura de protagonista da vida, e não de vítima, pode ser trabalhoso, dolorido, mas o resultado é tão maravilhoso que vai fazer você perceber quanto tempo perdeu ao viver sob o comando alheio.

Às vezes utilizamos nossa energia e nosso esforço para comportamentos paliativos, inúteis, que não resolvem o problema e gastam nossa força. Isso me lembra um conto árabe:

> Mullah Nasruddin colocou mel para esquentar no fogo, quando, inesperadamente, chegou um amigo para visitá-lo. O mel ficou tempo demais no fogo e começou a ferver. Mullah ofereceu um pouco ao amigo em uma xícara. Como estava muito quente, o amigo se queimou. Mullah pegou

então um leque e o agitou em cima da panela, que ainda estava no fogo, para resfriá-lo.

Queremos resfriar o mel com um leque e não tiramos a panela do fogo!
Toda crise traz uma grande oportunidade de transformação, uma chance de mudar a vida para melhor. Aprenda a se respeitar e a se valorizar diante dos outros.

Viver com a impressão de que os sonhos jamais vão se realizar só serve para alimentar o receio de levar adiante um propósito de vida.

Comprometendo-nos verdadeiramente com a mudança, poderemos transformar os resultados. Só quando a mudança, é percebida como realmente necessária, quando nossa vontade está presente e o desejo de fazer diferente supera a condição de estagnação, algo começa a se modificar profundamente dentro de nós.

Muitas vezes vivemos uma grande ilusão. Nossas experiências vão construir nossa autoimagem. Não me vejo fazendo determinada coisa, eu sou assim. O medo do desconhecido pode assombrar sua mente, mas quem é comprometido com a mudança encontra forças e coragem para enfrentá-lo.

Você percorreu um caminho e se definiu de certa forma, mas não precisa continuar com essa definição. Não existe estado imutável, mas há verdades que não questiono mais. Contudo, não questiono se sou inseguro, tímido etc. As coisas não são; as coisas estão.

Por isso, você pode mudar tudo já. Faça o que você deseja, faça acontecer, crie seu futuro já!

Redecida

Como foi mostrado e como nos prova a neurociência, podemos mudar paradigmas e crenças modificando nosso pensamento, adquirindo novos conhecimentos, praticando novas atitudes e consolidando-as em nossa mente.

Por isso, é sempre possível corrigir a rota quando se percorre um caminho em direção a uma meta e à realização de um sonho. Se acontecerem problemas, se seu objetivo não foi alcançado, você precisa rever seus parâmetros e ajustar o percurso para chegar aonde realmente pretendia no início da jornada.

O ser humano cria as próprias crenças e convicções. Isso acontece não só pela herança genética, mas também pelas experiências, pelo ambiente, pela educação, pelos novos conhecimentos, como nos mostra a ciência.

Os estágios emocionais

No decorrer de nossa vida, existem períodos em que aprendemos e amadurecemos emocionalmente. É preciso passar por esses estágios até atingir uma maturidade que nos permita transitar livremente pelas experiências da vida e tirar delas o melhor.

Há também um período especialmente importante, em que podemos redefinir tudo o que foi entendido até então. Pamela Levin, especialista em desenvolvimento emocional, mostra que há sete estágios emocionais de desenvolvimento e cada estágio ou fase do nosso ciclo de vida é a plataforma sobre a qual nós representamos o principal drama da vida.

A seguir, vou descrever brevemente os estágios, tendo em vista que é importante saber como acontece esse amadurecimento, para poder mudar a realidade e corrigir o trajeto, se assim quisermos.

OS ESTÁGIOS EMOCIONAIS DO SER HUMANO

Ser: É o período que vai do nascimento aos 6 meses, quando a criança tem suas necessidades básicas mais importantes atendidas, como ser cuidada, ser alimentada, ser tocada, ser protegida e amada. Nesse estágio, o ser humano simplesmente existe. É nesse momento que confirmamos nosso merecimento por simplesmente existir, por ser, e começamos a desenvolver nossa espontaneidade, e também a capacidade de receber e ser cuidado. Nessa fase, é importante o contato físico íntimo e prazeroso, como receber carinho, afeto, aceitação, nutrição e amor.

Fazer: Dos 6 meses aos 18 meses, passamos por um estágio de plena ação, em que queremos explorar o mundo. É a fase da curiosidade, de conhecer, agir, mexer, explorar, experimentar. Nesse período, o ser humano não pode esperar para ver como o mundo é, pois quer se levantar, cheirar, tocar, ver, explorar, e deseja uma variedade de estímulos. Tudo é novo e se desenvolve "fazendo". O ser humano quer, nessa fase, seguir o próprio instinto sem constrangimentos e está procurando encontrar novos caminhos, e é importante que ele se sinta reconhecido pelo que está fazendo.

Pensar: Dos 18 meses aos 3 anos, a criança quer novo sentido de independência, individualidade e separação dos pais, para desenvolver um pensamento próprio. É a fase em que nos libertamos de um comportamento dependente, e desenvolvemos uma nova posição social, mudando conceitos. É um período voltado para o individual, quando passamos a decidir que podemos testar, encontrar limites, dizer "não". O ser humano aí quer ser diferente, único, quer ocupar uma posição diferente no mundo e assim se tornar rebelde, abrindo espaço independentemente dos outros. É uma fase de autoafirmação, em que precisa receber mensagens que transmitam permissão para crescer, para ser ele mesmo.

Identidade: Dos 3 aos 6 anos, a criança busca construir sua identidade, procurando um novo significado de ser. É a fase em que se decide a própria visão de mundo e se forma a identidade. A criança quer descobrir quem é, experimentar relacionamentos sociais. Para isso, precisa separar a fantasia da realidade. Ela testa as consequências do próprio comportamento e de suas ações e exercita seu poder para ver o que acontece e como os outros reagem. Nesse estágio, precisa receber mensagens que transmitam proteção e incentivo para ter a própria visão de mundo e testar sua força.

Habilidade: Dos 6 aos 12 anos, a criança aprende novas habilidades e decide quais valores são coerentes com suas metas. Ela quer fazer coisas diferentes, quer fazer do seu jeito, e começa a se relacionar com pessoas de fora do círculo familiar, desenvolvendo novos instrumentos e aprendendo novas habilidades. Para isso, discute e briga, mas experimenta e comete erros. Nesse estágio, precisa receber mensagens que transmitam incentivos e permissões para ser como é e para se sentir capaz.

Regeneração: Dos 13 aos 18 anos, o jovem experimenta mudanças corporais, especialmente em níveis de energia, e preocupa-se com a identidade sexual, rompendo as relações de dependência e se tornando livre para agir no mundo da própria maneira. Desenvolve uma filosofia pessoal e encontra novo lugar no mundo adulto. Nesse estágio, precisa receber mensagens que transmitam permissão para reconhecer os próprios pensamentos, as ideias, os sentimentos e os valores.

Reciclagem: A partir dos 19 anos, começa uma fase em que a pessoa completa seu primeiro ciclo de desenvolvimento, e a personalidade está formada. O modo como passa pelas etapas de desenvolvimento define sua maneira de pensar, suas crenças, seus valores e suas convicções sobre ela mesma e sobre o mundo e suas atitudes.

Por causa das conjunturas e das circunstâncias, nem sempre a pessoa passa pelos estágios de forma ideal, conseguindo ser protegida e amada por uma família ou por alguém que desempenhe esse papel. Isso faz com que, por vezes, elas se sintam machucadas, humilhadas, não compreendidas, desqualificadas ou abandonadas. Assim, criamos feridas emocionais.

A fase da reciclagem é uma oportunidade para a pessoa rever essas feridas e também repassar as fases já vivenciadas. Desde os 19 anos, até o último dia de vida, temos a possibilidade de redecidir.

Passamos, depois dos 19 anos, por novos ciclos emocionais, podendo amadurecer e entender melhor os fatos e as circunstâncias, quanto mais vivenciamos e assimilamos as experiências da vida.

Todos os dias, nós nos reciclamos e todos os dias temos a oportunidade de redecidir. Há a possibilidade de rever as decisões tomadas em algum momento da nossa vida no passado e mudar as coisas, corrigir a rota.

Não é porque não fomos cuidados anteriormente que não poderemos ser cuidados hoje. Nada do que já aconteceu na vida determina de modo definitivo o que virá. Todos os dias há uma chance de mudar, de rever, de decidir os novos rumos do ponto em que estamos para a frente.

Nosso programa genético, herdado de nossos pais, nos oferece uma base para construir nossa identidade; porém, ele constitui só parte de nossas redes neurais, pois parte delas nós construímos por meio das experiências pelas quais passamos, do ambiente, dos conhecimentos e das escolhas que fazem com que cada um de nós seja único.

A herança genética é só o início do caminho. Podemos evoluir aprendendo novos conhecimentos e vivendo novas experiências. Isso cria novas conexões em nosso cérebro e, por consequência, novas sensações e novos comportamentos. A integração entre conhecimento e experiência gera a sabedoria, que é o conhecimento experimentado, colocado em pratica, interiorizado.

Quando aprendemos novas informações e as colocamos em nossa vida por meio dos nossos comportamentos, criamos uma experiência nova e, portanto, emoções novas. Criamos, assim, a sabedoria: a compreensão maior de nós mesmos no mundo para evoluir como seres humanos.

A sabedoria precisa de uma experiência interior, pois não é teoria, mas a vivência da teoria, que precisa ser experimentada dentro de nós mesmos, passada através de nós, para fazer assim surgir algo novo, pessoal e único.

Os estímulos recebidos em cada estágio e a forma como os interpretamos fez com que tomássemos decisões sobre nós mesmos e sobre a vida, criando os padrões que, em regra, tornaram-se recorrentes.

Como adultos, temos a chance de escolher ser diferentes e tomar decisões diferentes. Ao entender os estágios pelos quais passamos desde que nascemos, e como eles afetam o percurso e o desenrolar de nossa vida, fica mais fácil olhar para trás e compreender o porquê de nossas crenças e onde foi que "empacamos" e como podemos ressignificar nossa vida e nós mesmos.

Com isso, podemos refazer o ciclo. Podemos escolher

ser algo diferente do que temos sido, entendendo que é possível manifestar isso espontaneamente e ser assim reconhecidos.

A partir do novo ser, podemos fazer coisas diferentes do que achávamos que estava predeterminado até então. Nesse novo fazer, podemos sentir, ver, explorar e tocar novas experiências e atividades, explorando um novo mundo que se descortina diante de nós.

Novas experiências e atividades influenciam nossa maneira de pensar e de analisar as coisas, que se modifica, uma vez que nos colocamos em um ponto de vista diferente com a nova maneira de ser e fazer.

A partir daí, sendo, fazendo e pensando de modo diferente, conseguimos assumir uma nova identidade, um novo significado para o nosso ser, descobrindo novas potencialidades e possibilidades para a vida e para a realidade.

Entramos, então, em uma nova fase, de reciclagem, desenvolvendo uma nova filosofia pessoal e encontrando nosso novo lugar no mundo. Podemos trocar com os outros nossos pensamentos, nossas ideias, nossos sentimentos e valores, e ver concretizados objetivos e sonhos que antes julgávamos impossíveis.

Uma nova fase de reciclagem vai começar a acontecer quando esse ciclo se completar e se esgotar. A pessoa entrará nele com uma nova bagagem, recolhida em todos os ciclos anteriores, e mais uma vez pode entrar em uma nova etapa da vida, com mais maturidade emocional e experiência.

Podemos redecidir durante toda a nossa vida, rever crenças e voltar metaforicamente a um dos estágios anteriores, fazendo ou refazendo atividades ligadas a esse estágio, e transformando lembranças por meio da compreensão e da reflexão.

Reviver, na idade adulta, as etapas de desenvolvimento permite ressignificar nosso passado, buscando aquilo que faltou, e assim atualizar formas de pensamento e expandir nosso entendimento e nossa consciência.

A fonte de segurança e de proteção precisa estar, antes de tudo, dentro de você mesmo. Sempre é tempo de se reciclar, assim como sempre é tempo de redirecionar os próprios objetivos, se necessário.

Quando percebemos que não estamos caminhando na direção do nosso alvo, podemos com humildade reconhecer que precisamos nos reorganizar e orientar novamente os ponteiros da bússola, corrigir a rota para o norte certo e retomar a direção original. Mais um conto sufi ilustra essa questão:

> Durante uma viagem, Mullah Nasruddin chegou a uma cidade e, no mercado, ficou boquiaberto diante de uma banca de frutas exóticas desconhecidas e que pareciam muito suculentas. "Essas frutas me parecem excelentes. Pode me dar um

quilo delas?", pediu ao mercador. Pagou e foi embora muito satisfeito com sua compra. Depois de alguns passos, ele mordeu um dos lindos frutos vermelhos, mas, no mesmo instante, sua boca começou a arder e seus olhos começaram a lacrimejar. Contudo, Mullah Nasruddin continuou comendo.

Um homem que passava por ali e que o observava, perguntou: "Mas o que você está fazendo?". "Eu achei que essas frutas eram deliciosas. Pensando que uma só não fosse suficiente, comprei um quilo delas", respondeu Nasruddin. "Entendo, mas por que agora continua comendo-as? São pimentas vermelhas e são extremamente picantes." Mullah Nasruddin respondeu: "É que comprei um quilo delas e gastei meu dinheiro".

Às vezes, mesmo percebendo que nos enganamos nas escolhas ou nas decisões, não temos o discernimento e a humildade de reconhecer o erro, de parar de comer a "pimenta ardida", dar um passo atrás e reorganizar nosso objetivo. No entanto, isso é preciso.

O essencial não é sermos perfeitos, mas é desenvolver uma disciplina interior que nos permita corrigir a rota quando perdemos a direção. É importante estarmos conscientes de que não é suficiente conhecer o caminho; é preciso sabedoria para saber percorrê-lo.

Como uma paisagem viva, a forma de enxergar a própria missão poderá mudar com o passar do tempo, exigindo reflexões periódicas e ajustes de direcionamento.

Às vezes, no decorrer da nossa existência, precisamos fechar ciclos e caminhos e aprender a morrer metaforicamente para aquilo que fomos e renascer para aquilo que desejamos ser.

Podemos mudar, ajustar, redecidir nosso trajeto, pois o poder de criar está na pessoa, não no objetivo. Como dizia Carlos Castanheda: "Qualquer caminho é apenas um caminho e não constitui nenhum insulto abandoná-lo quando assim ordena seu coração".

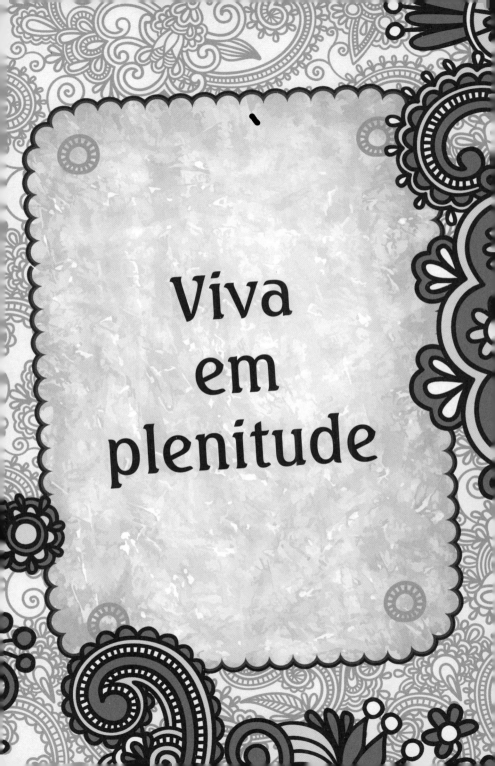

 Quando você realmente quer, é possível fazer acontecer. Querer alguma coisa dá o mesmo trabalho de não a querer. A energia necessária é igual. Querer apenas não é poder, mas poderá ser se você se comprometer. Querer e se comprometer é poder.

Há uma enorme quantidade de pessoas que quer muitas coisas. Entretanto, se você observar quem realmente concretizou seus planos, vai verificar que é quem foi além do querer e teve perseverança, determinação, acreditou e ampliou seu espaço de domínio, colocando sua energia e sua atenção direcionadas para fortalecer seu propósito. Essas pessoas se comprometeram em ser únicas, pois transformam a energia da adversidade em energia de realização.

Analise a intensidade do que faz e veja como você está caminhando pela vida: fortalecendo o resultado ou a dificuldade? Você está fortalecendo a dificuldade ou o sentimento de poder para realizar o que quer?

As pessoas se fortalecem ou se enfraquecem e isso não depende do que fazem, mas do sentido e do significado que dão para o que fazem. Se você brigou com seu pai, ele vai pensar que a briga é importante. Por que colocar tanta energia nisso? Quantos fracassos em quedas de braço passamos com coisas que não levam ao que queremos? É como dizia Louise Hay: "O que você quer: ser feliz ou ter razão?".

Martin Luther King dizia: "Se você ainda não descobriu pelo que morrer, você ainda não descobriu pelo que viver".

A arte do viver depende do comprometimento pessoal com a valorização da vida, orientada por princípios, valores e posturas que reconhecem nossa responsabilidade na criação da realidade, na compreensão e no entendimento de nós e do mundo, por meio de nossas crenças, paradigmas, opiniões e ações.

Nunca desista

É preciso ser flexível e persistente para reconhecer o que é preciso mudar. O percurso da água é uma metáfora do conceito de flexibilidade e persistência. Ela negocia com o meio ambiente os caminhos que vai trilhar para chegar à sua meta.

No entanto, muitas vezes, o ser humano, em vez de mudar a forma de caminhar quando encontra algum obstáculo, acaba por mudar sua meta. Ele passa a aceitar alguma coisa menos, menor que seu sonho, e aceita até situações indignas de vida, de relacionamento, de condição profissional.

Criamos nosso destino e nossa realidade. Todos nós temos a capacidade de criar e recriar nossa trajetória. Esse é o maior dom que temos no grande jogo da vida.

Lembre-se: não há obstáculos intransponíveis. Há, isso sim, diversos caminhos. Entre o caminho da razão e o do coração, escolha o caminho do meio: o do equilíbrio. As coisas não precisam ser nem pesadas nem leves, nem certas nem erradas, nem boas nem más... apenas equilibradas, sem extremos.

É preciso limpar o terreno da sua mente para permitir que a sabedoria e a compreensão floresçam. Entenda que não é preciso ir em busca da verdade, mas se preparar para que ela o encontre quando estiver pronto para recebê-la.

Ir em busca de conhecimentos é sempre positivo, e colocar em prática o que aprendemos é o real desafio que nos permite alcançar a sabedoria, fugir da superficialidade e viver a vida com profundidade.

O que nunca devemos nos esquecer é que o poder de modificar aquilo que nos cerca está dentro de nós. A parte mais importante do trabalho acontece no interior do nosso ser, purificando nosso coração. Somente nós mesmos transformaremos nossa vida em uma existência mais digna, plena e verdadeira.

Coloque significado em sua vida

Não transite na superficialidade. Entre em profundidade, na essência da sua vida, no seu propósito e projeto de vida. Entre no significado das coisas, especialmente das coisas simples da vida, que devem ser vividas com intensidade e celebradas.

Redescubra a importância das pequenas atitudes, a grandiosidade dos detalhes e a beleza do cotidiano. É como ensina o doutor Bach: "A felicidade é fácil de ser alcançada porque reside nas pequenas coisas: fazer aquilo que realmente amamos fazer e estar com as pessoas de que gostamos".

Viva na certeza da própria dignidade e da responsabilidade de ser criador da sua vida, de poder dar forma à vida de maneira criativa, consciente de que cada momento é único e não pode acontecer novamente, sentindo a existência na intensidade do coração.

João Guimarães Rosa, grande escritor brasileiro, no livro *Grande Sertão: Veredas*, ensina: "Digo ao senhor: tudo é pacto. E todo caminho é resvaloso, mas cair também não prejudica demais. A gente cai, a gente levanta, a gente sobe, a gente volta. E as pessoas não estão sempre iguais, ainda não foram terminadas: afinam ou desafinam".

É verdade: estamos sempre em processo de evolução, não somos sempre iguais, estamos sempre mudando. Caímos e nos levantamos diferentes. Todos os dias, todos nós enfrentamos problemas, adversidades e variáveis cotidianas, mas a diferença é que podemos assumir a responsabilidade de reconhecer os desafios e superá-los. Não é a ausência de dificuldades que faz a grandeza do homem, mas sua capacidade de transpô-las.

A hora de romper o compromisso com o que o limita é agora. Não aceite o que lhe faz mal. Se você esquenta lentamente a água em uma panela em que está uma rã viva, ela não percebe o gradativo aumento do calor e acaba por deixar-se cozinhar sem nem tentar fugir. Do mesmo jeito, há coisas que, pouco a pouco, fazem nossa vida impossível. Preste atenção se a temperatura da água está esquentando na sua vida, e se há algo que o está incomodando ou limitando e com o qual você não está lidando.

Precisamos aprender a dizer não para aquilo que não queremos. Só assim, o dizer sim terá um significado e um sabor mais intensos. Essa mudança de conduta traz mais percepção de nós mesmos, do mundo em volta, das pessoas ao redor e mais atenção ao que estamos fazendo com a nossa vida. E isso nos torna livres.

A vida nos proporciona experiências e desafios a cada momento. Nessas ocasiões é que nos encontramos em uma bifurcação, em uma encruzilhada. Como não podemos escolher e percorrer os dois caminhos ao mesmo tempo, precisamos fazer a difícil escolha: podemos nos entregar ao fato, culpar os outros, remoer o passado e sucumbir às sensações de falência, amargura e apatia, agindo passivamente, ou podemos continuar o caminho, compreender, evoluir, nos fortalecer por meio do autoconhecimento que leva à realização e à descoberta das nossas infinitas qualidades e dos recursos interiores.

Podemos ser melhores do que fomos, assumir nossa natureza de criadores de realidades e reconquistar nossa dignidade, nossa paixão, e ser felizes de verdade. Por isso, celebre quem você escolhe ser.

Aproxime-se mais da plenitude de viver. As pessoas iluminadas não passam de seres com problemas cotidianos, como todos nós, mas que têm forma iluminada. A diferença é como você lida com os problemas e as dificuldades que continuam e continuarão acontecendo.

O tempo passa rápido demais. Precisamos viver com intensidade e plenitude. Você não tem apenas o direito de existir e ser mais um nessa vida, mas de viver tudo aquilo que seu coração ousar escolher viver. Somos responsáveis por nossa felicidade.

Redecida aquilo que você foi. Redecida aquilo você está vivendo. Nasça para o que você quer ser e viver. Vá em busca de seus sonhos e transforme-os em sua vida!

Confie em si mesmo, acredite, apaixone-se por você, emocione-se com sua unicidade, reencontre a si mesmo, reconheça a sua verdade, reinvente-se e recrie-se sempre e novamente. Revendo nossas crenças e nossos paradigmas, redirecionamos nossas decisões e recriamos nossa vida, única e preciosa, e quando temos a coragem de fazer isso uma revolução acontece e, em um instante, nós nos transformamos, reescrevendo nossa história.

Realize o que você ousou sonhar. A plenitude vem na hora que se vive a abundância de sentimentos.

Tenha sempre em mente: A vida é mais. Você é mais. Você merece mais!

Namastê!

Referências bibliográficas

CASEY, Karen. *Change your mind and your life will follow*. Estados Unidos: Conari Press, 2007.

CHETKIN, Len. *100 thoughts that lead to happiness*. Estados Unidos: Hampton Roads, 2002.

DALAI LAMA; CUTLER, C. Howard. *A arte da felicidade* – Um manual para a vida. São Paulo: Martins Editora, 2000.

DYER, Wayne W. *Your erroneous zones*. Estados Unidos: Harper Collins Publishers, 1976.

JODOROWSKY, Alejandro. *Il dito e la luna*. Milão: Mondadori, 2006.

LEVIN, Pamela. *Cycles of power*: A user's guide to the seven seasons of life. Estados Unidos: HCI, 1988.

LIPTON, Bruce H. *The biology of belief* – Unleashing the power of consciousness, matter and miracles. Estados Unidos: Midpoint Trade Book Inc., 2008.

OKULICZ, Karen. *Decide!* Estados Unidos: K-Slaw Inc., 2005.

PANIKKAR, Raimon. *The vedic experience: mantramanjari* – An anthology of the vedas for modern man and contemporary celebration. Delhi: Motilal Banarsidass, 2001.

ROSA, João Guimarães. *Grande sertão: veredas*. Rio de Janeiro: Nova Fronteira, 2006.

SOLMS, Mark; TURNBULL, Oliver. *The brain and the inner world*. Estados Unidos: Other press, 2002.

TAYLOR, Jill Bolte. *A cientista que curou seu próprio cérebro*. Rio de Janeiro: Ediouro, 2008.

Para ler o código a seguir, baixe em seu celular, *smartphone*, *tablet* ou computador um aplicativo para leitura de QR code. Abra o aplicativo, aponte a câmera de seu aparelho ou a *webcam* de seu computador para a imagem abaixo e acesse mais conteúdo sobre esta obra, que seria impossível constar em um livro de papel como este.

Este livro foi impresso pela
Gráfica AR Fernandez em papel pólen bold 70g.